Margarete I. Ersen-Rasch
Hayrettin Seyhan

Güle güle

Türkisch für Anfänger

Hueber Verlag

Verlagsredaktion: Stephen Fox
Sprachliche Durchsicht und Beratung: Özgür Savaşçı

11. 10. 9. | Die letzten Ziffern
2017 16 15 14 13 | bezeichnen Zahl und Jahr des Druckes.
Alle Drucke dieser Auflage können, da unverändert,
nebeneinander benutzt werden.
1. Auflage

Umschlaggestaltung: Clickwork Orange, Berlin
Zeichnungen: SunArt, Berlin
Layout und Herstellung: Erwin Schmid, Hueber Verlag, Ismaning
Druck und Bindung: Auer Buch + Medien GmbH, Donauwörth
Printed in Germany
ISBN 978-3-19-005234-9

VORWORT

Güle güle wendet sich an Lerner/innen, die Alltagssituationen in türkischer Sprache bewältigen möchten. Es ist daher in erster Linie kommunikativ aufgebaut. Das bedeutet, dass die Themen der einzelnen Lektionen entsprechend den Interessen und Bedürfnissen der Lerner/innen ausgewählt wurden. Der Lernstoff ist nach Redeabsichten geordnet, die oft in Gruppen- und Partnerarbeit eingeübt werden. Die vier Fertigkeiten Verstehen, Sprechen, Lesen und Schreiben werden sowohl im Lehr- als auch im Arbeitsbuch berücksichtigt: Jede Lektion besteht aus:

- einem bildgesteuerten Einstieg in das Thema der Lektion
- einer Einführung des Hauptlernstoffes (Redeabsichten, Grammatik und Erweiterung des Wortschatzes)
- einer Vertiefung des Lernstoffes mittels mündlicher, schriftlicher und Hörverständnisübungen
- zusätzlichem Material zum Thema der Lektion
- einer Zusammenfassung der eingeführten Grammatik und Redemittel.

Fünf Wortschatzmodule, ein Wörterverzeichnis nach Lektionen und eine alphabetische Wortschatzliste runden das Lehrbuch ab.

Das Arbeitsbuch enthält:

- ausführliche Erläuterungen zu der im Lehrbuch eingeführten Grammatik
- Erläuterungen zum Sprachgebrauch und zur Landeskunde
- ein umfangreiches Aussprachetraining
- abwechslungsreiche schriftliche Übungen zur Festigung des Lernstoffes
- Hörverständnisübungen.

Im Anhang befinden sich Übersichten zur Aussprache und Rechtschreibung, eine Liste Latein/Deutsch/Türkisch der verwendeten Grammatikterminologie, eine Tabelle zum *-yor*-Präsens, der Lösungsschlüssel und ein Sachregister.

Die zwei CDs enthalten alle im Lehr- und Arbeitsbuch gekennzeichneten Texte und Hörverständnisübungen (Zahl = CD-Stopppunkt).

Wir wünschen viel Erfolg und Spaß beim Lernen: *Güle güle öğrenin!*

Autoren und Verlagsredaktion

Bitte beachten Sie, dass in drei Hörverständnisübungen der Lektion 19 (Nr. 3, 6, 13) die Preise noch in DM genannt werden.

INHALTSVERZEICHNIS

INHALTSVERZEICHNIS

INHALTSVERZEICHNIS

INHALTSVERZEICHNIS

İYİ GÜNLER
GUTEN TAG!

GRÜSSE

Günaydın

İyi günler

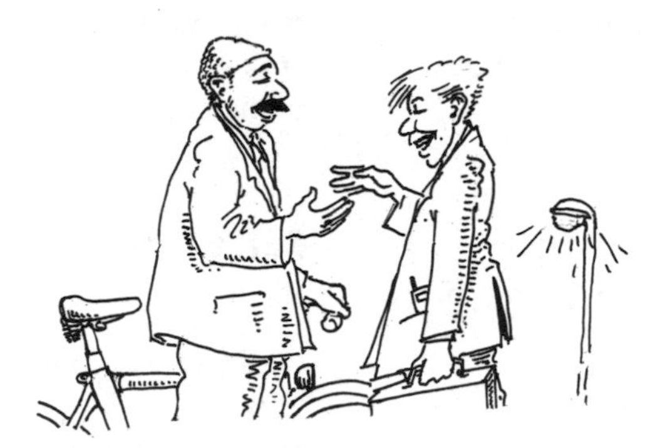

İyi akşamlar

İyi geceler

1 **Welcher Gruß passt?** Hören Sie zu und tragen Sie ein. 

1. ______________________ 2. ______________________

3. ______________________ 4. ______________________

2 Adım Atilla 

Attila: İyi akşamlar. Adım Atilla.
Suzan: İyi akşamlar. Ben Suzan.
Attila: Memnun oldum.
Suzan: Ben de.

3 Jetzt sind Sie dran.

➔ *İyi ... Adım ...*
– İyi ... Ben ...
Memnun oldum.
– Ben de.

4 Benim adım Timur 

Suzan: İyi akşamlar. Adım Suzan, soyadım Berksoy.
Timur: Merhaba. Benim adım Timur, soyadım Akman.
Suzan: Efendim?
Timur: Adım Timur, soyadım Akman. Timur Akman.
Suzan: Haa... Memnun oldum.
Timur: Ben de.

5 Jetzt sind Sie dran.

➔ *... Adım ..., soyadım ...*
– ... Benim adım ..., soyadım ...
Efendim?
– ...
Haa...
...

6 Sizin adınız ne?

Yusuf:	Günaydın. Benim adım Yusuf. Sizin adınız ne?
Yasemin:	Yasemin.
Yusuf:	Memnun oldum, Yasemin Hanım.
Yasemin:	Ben de, Yusuf Bey.
	…
Yusuf:	Hoşça kalın, Yasemin Hanım.
Yasemin:	Güle güle, Yusuf Bey.

7 Senin adın ne?

Uta:	İyi akşamlar. Benim adım Uta. Senin adın ne?
Tarık:	Tarık.
Uta:	Memnun oldum, Tarık.
Tarık:	Ben de memnun oldum, Uta.
	…
Uta:	Hoşça kal, Tarık.
Tarık:	Güle güle, Uta.

8 Jetzt sind Sie dran.

➔ *Benim adım … Sizin adınız / Senin adın …?*
– …
Memnun oldum.
– …

9 Füllen Sie aus.

Benim adım Peter, soyadım Müller.

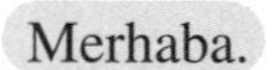
Merhaba.

Gabi.

Güle güle.

İyi günler. ● Senin adın ne? ● Hoşça kalın. ● Memnun oldum, …

10 Tanıştırayım

Tarık: O kim?
Özgür: Kerstin Hanım.
...
Özgür: Kerstin Hanım!
Kerstin: Efendim?
Özgür: Bir dakika lütfen!
Kerstin: Buyurun.
Özgür: Tanıştırayım: Tarık Bey, Kerstin Hanım.
Tarık: Memnun oldum, Kerstin Hanım.
Kerstin: Ben de, Tarık Bey.

11 Jetzt sind Sie dran.

→ *Merhaba /..., ... Hanım / ... Bey.* – *İyi günler / ... O kim?*
Tanıştırayım: ... – ...
Hoşça kalın, ... Hanım / ... Bey. – ...

12 Bilmiyorum

Güngör: O kim?
Timur: Bilmiyorum.
...
Güngör: Affedersin, senin adın ne?
Uta: Uta.
Güngör: Memnun oldum, Uta. Benim adım Güngör.
Uta: Ben de memnun oldum.
Güngör: Tanıştırayım: Timur.
Uta: Memnun oldum, Timur.
Timur: Ben de.

13 Jetzt sind Sie dran.

→ *O ...?* – *Bilmiyorum.*
Affedersiniz, sizin ...? /
Affedersin, senin ...? – ...
Memnun ... – ...
Hoşça kal, Uta / ... – ...

14 Kennen sich die Leute?

Hören Sie zu und kreuzen Sie die richtige Antwort an.

	evet	hayır
1. Barbara ve Atilla	✔	
2. Timur ve Suzan		
3. Gabi ve Tarık		
4. Güngör ve Uta		

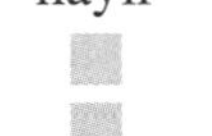

15 Hören Sie zu und wiederholen Sie.

Alfabe

Aa	**Bb**	**Cc**	**Çç**	**Dd**	**Ee**	**Ff**	**Gg**	**Ğğ**	**Hh**
Iı	**İi**	**Jj**	**Kk**	**Ll**	**Mm**	**Nn**	**Oo**	**Öö**	**Pp**
Rr	**Ss**	**Şş**	**Tt**	**Uu**	**Üü**	**Vv**	**Yy**	**Zz**	

16 Hören Sie zu und wiederholen Sie.

a ı o u b c d g ğ j l m n r v y z
e i ö ü p ç t k h ş f s

17 Lesen Sie die Abkürzungen.

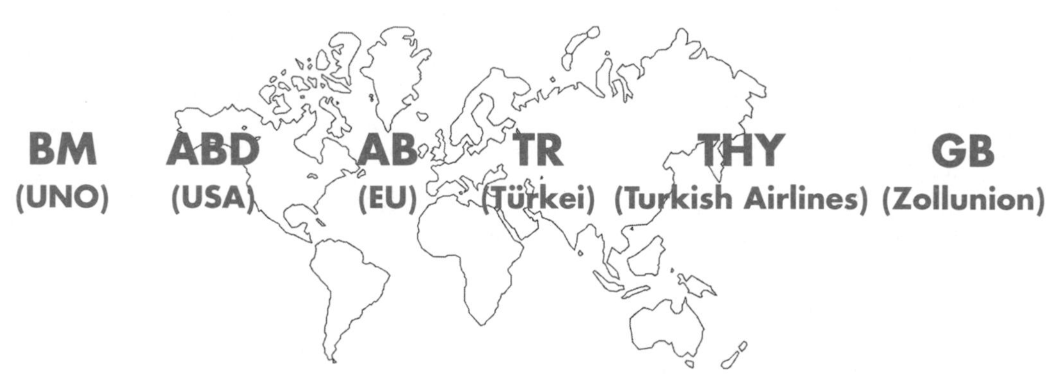

18 Lütfen, harf harf söyleyin

■ İyi akşamlar. Adım Timur. Sizin adınız ne?
❑ Sebastian.
■ Soyadınız?
❑ Cwiklinski.
■ Efendim? Anlamadım.
❑ Cwiklinski.
■ Yine anlamadım. Harf harf söyleyin lütfen.
❑ Ce - dubl ve - i - ka - le - i - ne - se - ka - i.
■ Teşekkür ederim.
❑ Bir şey değil.

19 Jetzt sind Sie dran.

→ *İyi akşamlar / … Sizin … ne? / Senin …?*
– …
…?
– Anlamadım.
…
– Yine … Harf harf söyleyin, … /
Harf harf söyle, …
– …
…
– Bir şey değil.

1 DAS HABEN SIE GELERNT

GRAMMATIK

O kim? – Sabine / Uwe / Suzan Hanım / Dirk Bey.

Adı *sein / ihr Name*	Soyadı *sein / ihr Familienname*	Seslenme *Anrede*
Suzan	Berksoy	Suzan Hanım
Timur	Akman	Timur Bey

Adınız ne?	– (*Adım*)	Lisa. Lisa Can.	Adın ne?	– (*Adım*)	Güngör. Güngör Çelik.
Soyadınız ne?	– (*Soyadım*)	Can.	Soyadın ne?	– (*Soyadım*)	Çelik.

(Benim) Adım	Kerstin.	(Sizin) Adınız ne?	– Uwe. / Benim adım Uwe.
(Benim) Soyadım	Müller.	(Senin) Adın ne?	
		(Sizin) Soyadınız ne?	– Weiß.
		(Senin) Soyadın ne?	

REDEMITTEL

Merhaba.
Günaydın. / İyi günler. / İyi akşamlar. / İyi geceler.

Tanıştırayım: Suzan Hanım, Uwe Bey. / Suzan, Uwe.
Memnun oldum, Suzan Hanım, Uwe Bey. / Suzan, Uwe.

Affedersiniz. / Affedersin.
Hoşça kalın. / Hoşça kal.

Güle güle.

Bir dakika lütfen!
Buyurun.

Efendim?
Anlamadım.
Bilmiyorum.
Teşekkür ederim.
Bir şey değil.

Güle güle.

NASILSINIZ?
WIE GEHT ES IHNEN?

BEFINDEN

1

2 **Wie geht es Suzan, Heike und Uta?**
Hören Sie zu und kreuzen Sie die richtige Antwort an.

1. **Suzan**	2. **Heike**	3. **Uta**
☐ a. iyi.	☐ a. şöyle böyle.	☐ a. fena değil.
☐ b. fena değil.	☐ b. kötü.	☐ b. yorgun.
☐ c. iyice.	☐ c. çok iyi.	☐ c. kötü.

3 Ben iyiyim. Siz nasılsınız? 13

Uwe: İyi akşamlar, Ayşe Hanım.
Ayşe: İyi akşamlar, Uwe Bey. Nasılsınız?
Uwe: Teşekkür ederim, ben iyiyim. Siz nasılsınız?
Ayşe: Ben de iyiyim.
…
Uwe: Hoşça kalın, Ayşe Hanım.
Ayşe: Güle güle, Uwe Bey.

4 Jetzt sind Sie dran.

→ *…, … Hanım / … Nasılsınız?*
…

– İyiyim / … Siz nasılsınız?
– …

5 Merhaba Turgut. Nasılsın? 14

Uta: Merhaba Turgut. Nasılsın?
Turgut: Şöyle böyle, Uta. Sen nasılsın?
Uta: Eh… Ben de şöyle böyle.
…
Turgut: Hoşça kal, Uta.
Uta: Sen de hoşça kal, Turgut.

6 Jetzt sind Sie dran.

→ *… Turgut / … Nasılsın?*
…

– Şöyle böyle, Uta / …
…

7 Eşiniz nasıl?

Kerstin: Günaydın Ali Bey.
Ali: Günaydın Kerstin Hanım.
Kerstin: Nasılsınız?
Ali: Teşekkür ederim, iyiyim. Siz nasılsınız?
Kerstin: Sağ olun, ben de iyiyim. Eşiniz nasıl?
Ali: Eşim de iyi.

8 Jetzt sind Sie dran.

→ *... Nasılsınız?* *– Sağ olun / ...*
Anneniz ...? *– Annem de ...*
Babanız ...? *– Babam da ...*
Arkadaşınız ...? *– Arkadaşım da ...*

9 Babam da fena değil

Gabi: Merhaba Ayşe. Nasılsın?
Ayşe: Sağ ol, Gabi. Fena değilim. Sen nasılsın?
Gabi: Ben iyiceyim. Baban nasıl?
Ayşe: Babam da fena değil.

10 Jetzt sind Sie dran.

→ *... Nasılsın?* *– Sağ ol / ...*
Eşin ...? *– Eşim de ...*
Annen ...? *– Annem de ...*
Baban ...? *– Babam da ...*
Arkadaşın ...? *– Arkadaşım da ...*

11 Füllen Sie aus.

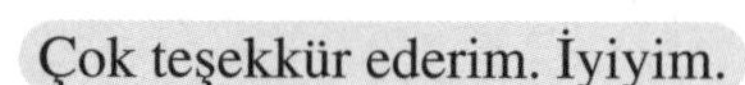
Çok teşekkür ederim. İyiyim.

Eşiniz nasıl?

Nasılsın?

Babam fena değil.

Baban nasıl? ● Yorgunum. ● Nasılsınız? ● Hasta.

→	(Siz)	Nasılsınız?	İyiyim.	Anneniz nasıl?	Annem de iyi.
	(Sen)	Nasılsın?	İyiyim.	Annen nasıl?	Annem de iyi.
	Uta	nasıl?	İyi.		

12 Ben de bilmiyorum

Kerstin: Merhaba Güngör. Nasılsın?
Güngör: Yorgunum. Sen nasılsın?
Kerstin: Ben biraz hastayım.
Güngör: Geçmiş olsun.
Kerstin: Sağ ol. Fatma nasıl'?
Güngör: Fatma fena değil.
...
Güngör: O kim?
Kerstin: Ben de bilmiyorum.
...
Güngör: Affedersiniz, sizin adınız ne?
Uwe: Uwe.
Güngör: Memnun oldum, Uwe Bey. Ben Güngör.
Uwe: Ben de memnun oldum. Nasılsınız?
Güngör: Sağ olun, iyiyim. Tanıştırayım: Kerstin.
Uwc: Mcmnun oldum, Kerstin Hanım.
Kerstin: Ben de. Nasılsınız?
Uwe: Sağ olun, iyiyim.

13 Bilden Sie drei bis vier Gruppen und spielen Sie die Dialogsituation nach.

→ *Nasılsın? / ...* – *Hastayım. / ...*
Geçmiş olsun. – *Sağ ol / ...*
...
O kim ? – *Ben de bilmiyorum. / ...*
... ...

14 Fragen Sie drei bis vier Kursteilnehmer und machen Sie eine Liste.

Adı	Soyadı	Nasıl?

GEGENSTÄNDE BENENNEN 2

15 *Bu ne?* **Was ist das?** Tragen Sie ein.

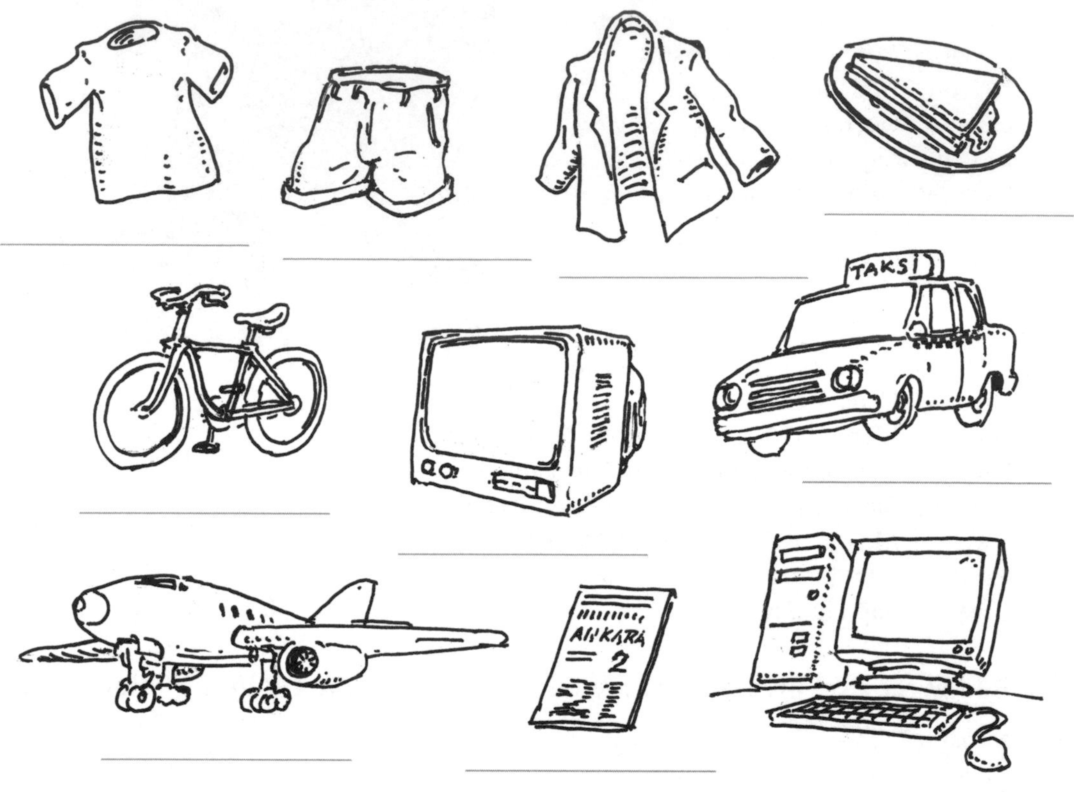

taksi ● bilgisayar ● televizyon ● bisiklet
şort ● tişört ● bilet ● sandviç ● ceket ● uçak

16 Çok ayıp

- ■ Ayşe Hanım, bilgisayar Almanca ne demek?
- ❑ Ne? Bilmiyor musunuz?
- ■ Hayır, bilmiyorum.
- ❑ Çok ayıp! Computer demek.

17 Jetzt sind Sie dran.

➔ *Uta / …, … Türkçe ne demek?*
– … ? Bilmiyor musun?
Hayır, bilmiyorum.
– Çok ayıp! … demek.

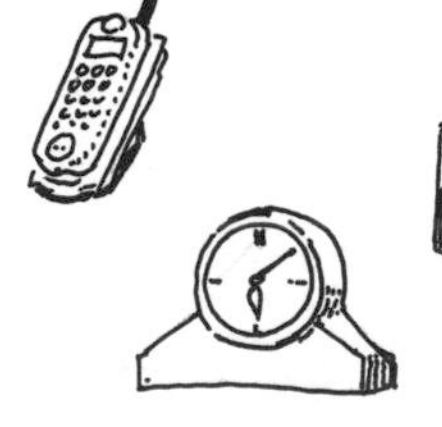

DAS HABEN SIE GELERNT

GRAMMATIK

(Siz)	Nasıl**sınız**?	İyi**yim**. / Kötü**yüm**. / Hasta**yım**. / Yorgun**um**.
(Sen)	Nasıl**sın?**	İyiyim. /
Uta	nasıl?	İyi. / Kötü. / Hasta. / Yorgun.

Bu ne?	Bu bilgisayar.

REDEMITTEL

Şöyle böyle.
Eh… şöyle böyle.

Sağ olun.
Sağ ol.

Biraz hastayım.
Geçmiş olsun.

… Almanca / Türkçe ne demek?
Ne? Bilmiyor musunuz?
Ne? Bilmiyor musun?

Çok ayıp!

3 ALMAN MISINIZ?
SIND SIE DEUTSCHE(R)?

LÄNDERNAMEN UND NATIONALITÄTEN

1 Tragen Sie die Ländernamen ein.

Almanya ● Fransa ● Lüksemburg ● İspanya ● İngiltere ● İtalya
İsviçre ● Çek Cumhuriyeti ● Rusya ● Türkiye ● Avusturya ● Polonya

2 Welche Nationalitäten haben die folgenden Personen?
Hören Sie zu und tragen Sie anschließend ein.

1. Ayşe Türk	2. Leonardo ______	3. Ivonna ______
4. María ______	5. Urs ______	6. Steffi ______
7. John ______	8. Ferdinand ______	9. Ivan ______
10. Marek ______	11. Marie-Claire ______	12. Jean ______

Alman ● İtalyan ● Çek ● Türk ● İsviçreli ● İngiliz ● Avusturyalı
İspanyol ● Fransız ● Rus ● Lüksemburglu ● Polonyalı

DIE NATIONALITÄT ERFRAGEN

3 John İngiliz mi?

Ivonna Ç*e*k **mi?** John İngil*i*z **mi?**	Ayşe T*ü*rk **mü?**	Steffi Alm*a*n **mı?** Bill Amerikal*ı* **mı?**	María İspany*o*l **mu?** Ivan R*u*s **mu?**
Evet, Ivonna Çek. Evet, John İngiliz.	Evet, Ayşe Türk.	Evet, Steffi Alman. Evet, Bill Amerikalı.	Evet, María İspanyol. Evet, Ivan Rus.

4 Jetzt sind Sie dran.

→ 1. Ivonna Çek *mi* ? — *Evet, Çek.*

2. Urs İsviçreli ______? — *Evet,* ______
3. Ayşe Türk ______? — *Evet,* ______
4. Steffi Alman ______? — *Evet,* ______
5. Ferdinand Avusturyalı ______? — *Evet,* ______
6. María İspanyol ______? — *Evet,* ______
7. Jean Lüksemburglu ______? — *Evet,* ______

5 Kreisen Sie die Frage ein, die Sie hören.

1. Zar mı? / Zor mu?
2. Beş mi? / Baş mı?
3. Kır mı? / Kir mi?
4. Çil mi? / Çöl mü?
5. Kuş mu? / Kış mı?
6. Yüz mü? / Yoz mu?

6 Lesen Sie jeweils eine Variante aus Übung 5 vor.
Ihr Partner schreibt auf, was er hört.

1. ______ 4. ______

2. ______ 5. ______

3. ______ 6. ______

7 Ali Türk. Ben Almanım.

Ali: İyi günler. Adım Ali.
Sebastian: Merhaba. Benim adım Sebastian.
Ali: Memnun oldum. Alman mısınız?
Sebastian: Evet, Almanım. Ya siz?
Ali: Ben Türküm.
Sebastian: Affedersiniz. Siz kimsiniz?
Della: Benim adım Della, İngilizim.
Paloma: Benim adım Paloma, İspanyolum.
Sebastian: Memnun oldum.
Della & Paloma: Ben de memnun oldum.

8 İngiliz misiniz? / İngiliz misin?

(Siz)			(Sen)		
İngiliz **mi**siniz?	**Evet**,	İngiliz**im**.	İngiliz misin?	**Evet**,	İngilizim.
Türk **mü**sünüz?		Türk**üm**.	Türk müsün?		Türküm.
Alman **mı**sınız?		Alman**ım**.	Alman mısın?		Almanım.
Amerikalı **mı**sınız?		Amerikalı**yım**.	Amerikalı mısın?		Amerikalıyım.
Japon **mu**sunuz?		Japon**um**.	Japon musun?		Japonum.

Hayır, İngiliz **değilim**. Almanım.

9 Spielen Sie die Dialogsituation nach und verwenden Sie dabei die unten stehenden Begriffe.

İngiliz	İsviçreli	Türk	Japon	Amerikalı	
Avusturyalı	Fransız	İspanyol	Rus	Çek	İtalyan

→ *(Siz)* ______ *misiniz?*	*(Sen)* ______ *misin?*	*Evet,*	______ *-(y)im.*
______ *müsünüz?*	______ *müsün?*	*Evet,*	______ *-(y)üm.*
______ *mısınız?*	______ *mısın?*	*Evet,*	______ *-(y)ım.*
______ *musunuz?*	______ *musun?*	*Evet,*	______ *-(y)um.*
		Hayır,	______ ***değilim.***

10 Ben Alman değilim, İsviçreliyim.

23

Urs: İyi günler. Adım Urs, soyadım Müller.
Pınar: Memnun oldum. Alman mısınız?
Urs: Hayır, Alman değilim, İsviçreliyim. Sizin adınız ne?
Pınar: Benim adım Pınar, soyadım Çiçek.
Urs: Efendim?
Pınar: Adım Pınar, soyadım Çiçek. Pınar Çiçek.
Urs: Yine anlamadım. Harf harf söyleyin lütfen.
Pınar: Pe-ı-ne-a-re Çe-i-çe-e-ka.
Urs: Şimdi anladım. Türk müsünüz?
Pınar: Evet, Türküm.

11 Was ist richtig? Kreuzen Sie an.

1. Urs Bey	İngiliz mi?	☐	a. Hayır, İngiliz değil, İtalyan.
2.	Türk mü?	☐	b. Hayır, Türk değil, İsviçreli.
3.	Avusturyalı mı?	☐	c. Hayır, Avusturyalı değil, Alman.
4.	İspanyol mu?	☐	ç. Hayır, İspanyol değil, Lüksemburglu.

12 Alman mısın, Türk müsün?

Deniz: Merhaba, Monika. Nasılsın?
Monika: İyi günler, Deniz. İyiyim. Ya sen?
Deniz: Sağ ol. Ben de iyiyim.
Monika: Deniz!
Deniz: Efendim?
Monika: Sen Alman mısın, Türk müsün?
Deniz: Hem Almanım, hem Türküm.
Monika: Ne?
Deniz: Yani annem Alman, babam Türk. Ben hem Almanım, hem Türküm.
Monika: Öyle mi?
Deniz: Evet, öyle.

13 Jetzt sind Sie dran.

→ *... Nasılsın?*
– ... Ya ...?
Sağ ol, ...
– ... !
Efendim?
– Sen ... misin / ... müsün / ... mısın / ... musun?
Hem ... hem ...
– Öyle mi?
Evet, ... Ya sen?
– Ben ...

14 Nerelisiniz?

Fatma: İyi akşamlar. Ben Fatma.
Bruno: Memnun oldum. Benim adım Bruno.
Fatma: Ben de memnun oldum. Nerelisiniz?
Bruno: Zürihliyim. Ya siz?
Fatma: Ürgüplüyüm. Tanıştırayım: Heidi.
Bruno: Merhaba Heidi. Siz de Zürihli misiniz?
Heidi: Hayır, Viyanalıyım.
Bruno: Enteresan!
…
Fatma: Sizin adınız ne?
Yusuf: Yusuf, İstanbulluyum.
…

15 Richtig oder falsch?

	doğru	yanlış
1. Bruno Zürihli.		
2. Fatma Brühllü.		
3. Heidi Stuttgartlı.		
4. Yusuf Bonnlu.		

➔ (Siz) (Sen)	Nerelisiniz? Nerelisin?	(Ben)	Hannover**li**yim / Berlin**li**yim / Köln**lü**yüm / Brühl**lü**yüm / Stuttgart**lı**yım / Ayvalık**lı**yım / Bonn**lu**yum / Winterthur**lu**yum.
Uwe	nereli?	(Uwe)	Hannover**li** / …

16 Jetzt sind Sie dran.

➔ *Nerelisiniz? – Dresdenliyim. / …*
Uwe nereli? – Münihli. / …
…
Nerelisin? – Frankfurtluyum. / …

DAS HABEN SIE GELERNT

GRAMMATIK

mi / mü / mı / mu?

İngiliz *mi***siniz**?	Evet,	İngiliz**im**.	Hayır,	İngiliz	değil**im**.
Türk *mü***sünüz**?		Türk**üm**.		Türk	
Alman *mı***sınız**?		Alman**ım**.		Alman	
Rus *mu***sunuz**?		Rus**um**.		Rus	

(Siz)	Nerelisiniz?	Zürih**li**yim. / Ürgüp**lü**yüm. / Viyana**lı**yım. / İstanbul**lu**yum.
(Sen)	Nerelisin?	
Uwe	nereli?	Zürih**li**. / Ürgüp**lü**. / Viyana**lı**. / İstanbul**lu**.

İsviçre**li** misiniz?	Evet, İsviçreliyim.	Hayır, İsviçreli değilim.
Avusturya**lı** mısınız?		
Lüksemburg**lu** musunuz?		

REDEMITTEL

Alman mısınız?
Hem Almanım, hem Türküm.
Yani annem Alman, babam Türk.

Ne?

Öyle mi?
Evet, öyle.

4 ATATÜRK BULVARI 45a

ATATÜRK-BOULEVARD 45a

DIE ZAHLEN

1 **Hören Sie zu und wiederholen Sie.**

26

0	sıfır	**10**	on
1	bir	**11**	on bir
2	iki	**12**	on iki
3	üç	**13**	on üç
4	dört	**14**	__________
5	beş	**15**	__________
6	altı	**16**	__________
7	yedi	**17**	__________
8	sekiz	**18**	__________
9	dokuz	**19**	__________

2 **Tragen Sie die Zahl ein, die Sie hören.**

5													
a	b	c	ç	d	e	f	g	ğ	h	ı	i	j	k

3 Vervollständigen Sie.

1.	2.	3.	4.
a. 1 + (artı) 1 = (eşittir) iki	a. 6 – (eksi) 3 = üç	a. 2 x (çarpı) 2 = dört	a. 4 : (bölü) 2 = iki
b. 3 + 2 = ______	b. 4 – 2 = ______	b. 3 x 5 = ______	b. 8 : 2 = ______
c. 7 + 4 = ______	c. 9 – 7 = ______	c. 6 x 2 = ______	c. 12 : 3 = ______
ç. 12 + 6 = ______	ç. 8 – 5 = ______	ç. 4 x 4 = ______	ç. 16 : 4 = ______
d. 16 + 3 = ______	d. 7 – 4 = ______	d. 5 x 2 = ______	d. 9 : 3 = ______

5.	6.	7.
a. 10 + 1 = on bir	a. 12 on iki	a. 2 – 4 – 6 – … – … –
b. ___ + 7 = on dört	b. 13 ______	b. 3 – 6 – 9 – … – … –
c. 9 + ___ = on altı	c. 4 ______	c. 16 – 12 – … – … – …
ç. 12 + ___ = on sekiz	ç. 6 ______	ç. 18 – 15 – 12 – … – … –
d. ___ + 7 = on üç	d. 17 ______	d. 19 – 17 – … – … – … – …

4 Adresiniz?

Tomris: İyi günler.
Uwe: Merhaba.
Tomris: Adım Tomris.
Uwe: Memnun oldum. Benim adım Uwe.
Tomris: Ben de memnun oldum. Berlinli misiniz?
Uwe: Evet, Berlinliyim.
Tomris: Adresiniz?
Uwe: Kantstraße 4b, 10623 Berlin.
Siz nerelisiniz?
Tomris: İstanbulluyum. Benim adresim:
İnönü Caddesi 17c, 34380 İstanbul.
Uwe: Teşekkür ederim.
Tomris: Bir şey değil. Ben de teşekkür ederim.

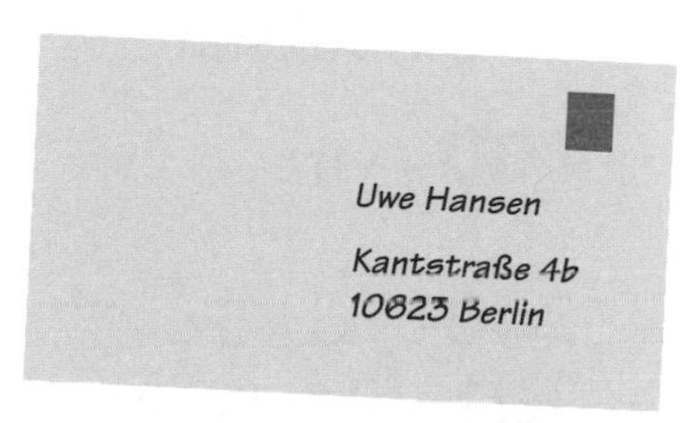

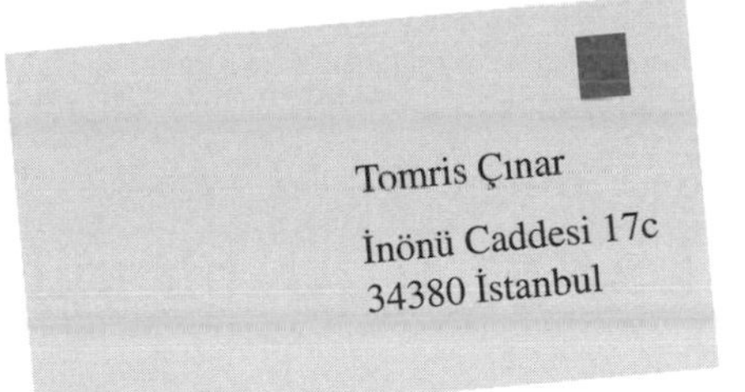

5 Wie ist die Adresse Ihres Partners? Fragen Sie ihn.

→ *Adresiniz? / Sizin adresiniz?* — *– Adresim … / Benim adresim …*
Adresin? / Senin adresin? — *– Adresim … / …*

6 **Hören Sie zu und wiederholen Sie.** Vervollständigen Sie dann die Zahlen ausgeschrieben in aufsteigender Reihenfolge.

20	yirmi	**21** yirmi bir ____ yirmi üç ____ yirmi beş
30	otuz	otuz bir ____ ____ otuz dört ____ otuz altı
40	kırk	____ kırk iki ____ kırk dört ____
50	elli	____ ____ elli üç ____ ____ elli altı
60	altmış	altmış bir ____ ____ ____ altmış beş ____
70	yetmiş	____ yetmiş iki ____ yetmiş dört ____
80	seksen	seksen bir ____ seksen üç ____ seksen beş
90	doksan	____ ____ ____ doksan dört ____ ____
100	yüz	____ yüz bir ____ yüz üç

200 iki yüz
201 iki yüz bir

1000 bin
1998 bin dokuz yüz doksan sekiz
2000 iki bin
2001 iki bin bir

1.000.000 bir milyon

7 **Kreisen Sie die Zahlen ein, die Sie hören.**

1. 12 / 21	2. 37 / 73	3. 46 / 64	4. 85 / 58	5. 59 / 95
6. 26 / 62	7. 75 / 57	8. 68 / 86	9. 97 / 79	10. 234 / 432

NACH DER TELEFONNUMMER FRAGEN

8 Telefonunuz var mı?

Yasemin: Merhaba, adım Yasemin.
Çiğdem: İyi günler, benim adım Çiğdem.
Yasemin: Memnun oldum.
Çiğdem: Ben de memnun oldum. Nasılsınız?
Yasemin: Teşekkürler, iyiyim. Ya siz?
Çiğdem: Sağ olun. Ben de iyiyim.
...
Yasemin: Telefonunuz var mı?
Çiğdem: Evet, var.
Yasemin: Numarası kaç?
Çiğdem: 735 26 89.
Yasemin: Benim iki telefonum var.
Ev: 891 34 76. İş: 234 56 78. Buyurun, kartvizitim.
Çiğdem: Teşekkür ederim. Bu da benim kartvizitim.
Yasemin: Ben de teşekkür ederim.

Yasemin Akman
Atatürk Bulvarı 45a
34470 İstanbul
Tel. 891 34 76

Çiğdem Üstün
Kennedy Meydanı 134c
35 068 İzmir
Tel. 735 26 89

9 Jetzt sind Sie dran.

→ *Telefonunuz var mı?* – ***Evet**, telefonum **var**. /* ***Hayır**, telefonum **yok**.*
Telefonun var mı? – *Evet, ... /* *Hayır, ...*
Numarası kaç? – *Ev: ... İş: ...*

10 Fragen Sie drei bis vier Kursteilnehmer und machen Sie eine Liste.

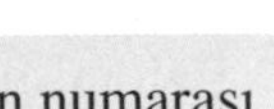

Adı, soyadı	Nereli?	Adresi	Telefon numarası Ev: / İş:

11 Wie viele Taschen, Schlüssel, Äpfel, … gibt es auf dem Bild?

Resimde kaç çanta / … var?

1.	a. İki,	b. dört,	c. beş	çanta var.
2.	a. Bir,	b. üç,	c. dokuz	anahtar var.
3.	a. Altı,	b. yedi,	c. sekiz	elma var.
4.	a. Bir,	b. iki,	c. yedi	ekmek var.
5.	a. İki,	b. üç,	c. beş	fincan kahve var.
6.	a. Bir,	b. iki,	c. dört	şişe su var.

12 Benim numaram 18

■ 17..., 17... İşte burası! Affedersiniz, burası benim yerim.
❑ Sizin yeriniz mi?… Evet, haklısınız. Benim numaram 18.
■ Problem değil.
❑ İyi yolculuklar.
■ İyi yolculuklar.
…
❑ Evli misiniz?
■ Evet, evliyim.
❑ Çocuğunuz var mı?
■ Bir kızım var. Ya siz?
❑ Ben bekârım.
…

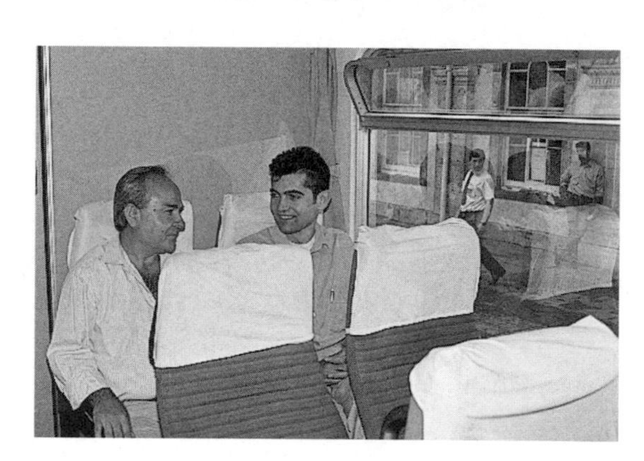

13 Spielen Sie die Dialogsituation nach.

→ *… misiniz / … misin?* *– Evet / Hayır …*
Çocuğunuz / … var mı?
Çocuğun / …

DAS HABEN SIE GELERNT

GRAMMATIK

Kaç?	Bir, iki / …	
Telefonunuz var mı?	Evet, Hayır,	(telefonum) var. Numarası 273 58 94. (telefonum) yok.
Telefonun var mı?	Evet, Hayır,	(telefonum) var. Numarası 79 41 86. (telefonum) yok.
Kaç çanta var?	Bir çanta var. İki çanta var.	
Resimde kaç kız / … var?	Bir kız var. Altı elma / … var.	
Telefonunuz / … yok mu?	(Telefonum) Yok. (Telefonum) Var. Hayır, (telefonum) yok.	

REDEMITTEL

Adresiniz?
Adresim …

İşte burası.
Burası benim yerim.

Haklısınız.

Problem değil.

İyi yolculuklar.

BERLİN'DE OTURUYORUM

ICH WOHNE IN BERLIN

WOHNORT

1 **Wo wohnt er / sie?** Tragen Sie ein.

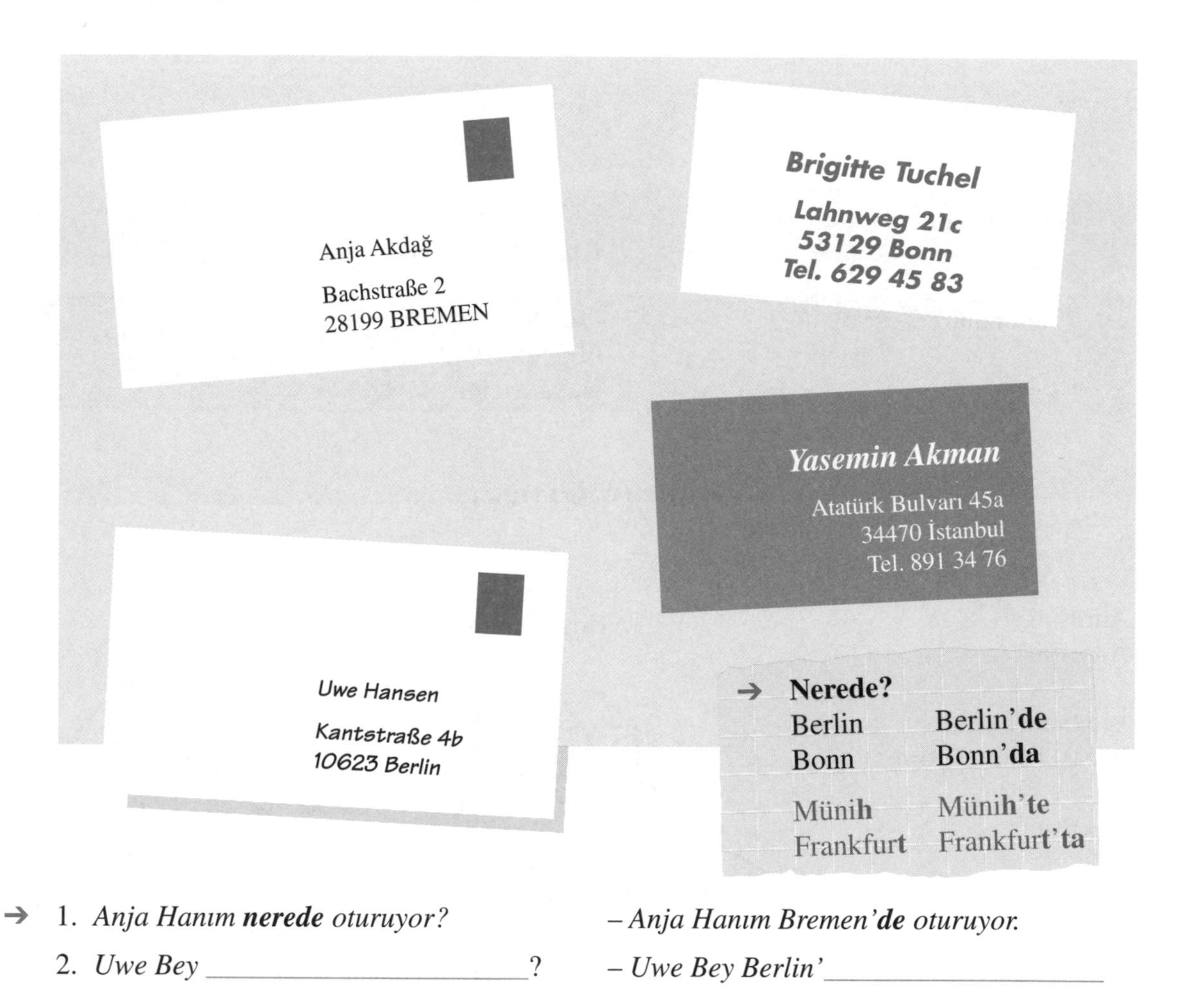

Anja Akdağ
Bachstraße 2
28199 BREMEN
Brigitte Tuchel
Lahnweg 21c
53129 Bonn
Tel. 629 45 83
Yasemin Akman
Atatürk Bulvarı 45a
34470 İstanbul
Tel. 891 34 76
Uwe Hansen
Kantstraße 4b
10623 Berlin

→ **Nerede?**

Berlin	Berlin'**de**
Bonn	Bonn'**da**
Müni**h**	Müni**h'te**
Frankfur**t**	Frankfur**t'ta**

→ 1. *Anja Hanım* ***nerede*** *oturuyor?* – *Anja Hanım Bremen'****de*** *oturuyor.*

2. *Uwe Bey* ______________________? – *Uwe Bey Berlin'*______________________

3. *Brigitte Hanım* ______________________? – *Brigitte Hanım Bonn'****da*** ______________________

4. *Yasemin Hanım* ______________________? – *Yasemin Hanım İstanbul'*______________________

5 NACH DEM WOHNORT FRAGEN

2 Welche Hausnummer?

→ 1. *Anja Hanım Bremen'de nerede oturuyor?* – *Bachstr. 2 numarada oturuyor.*
2. *Uwe Bey Berlin'de nerede oturuyor?* – *Kantstraße 4b'de oturuyor.*
3. *Brigitte Hanım* ______________________? – ______________________
4. *Yasemin Hanım* ______________________? – ______________________

3 **Wer spricht?** Tragen Sie in Ziffern die Reihenfolge ein.

		 1		
Yusuf Özlen	Pınar Çiçek	Ali Ay	Ayşe Bach	Ulf Weiß
Heerstr. 9	İnönü Caddesi 6	Gernotstr. 23b	ABC-Straße 7	Pankstr. 127c
51143 Köln	**ÇANKIRI**	**53179 Bonn**	**44787 Bochum**	**13357 Berlin**

4 **Wo wohnt Ihr Partner?** Fragen Sie ihn.

→ *... oturuyorsunuz / oturuyorsun?* – *... oturuyorum.*
Kaç ...? – ...

5 Ali Bey hangi apartmanda oturuyor?

■ Affedersiniz, Ali Bey hangi apartmanda oturuyor, biliyor musunuz?
❑ Kim? Ali Bey mi?
■ Evet, Ali Bey.
❑ Bilmiyorum.
○ Bir dakika, bende telefon numarası var: 143 26 85.
❑ Siz kimsiniz?
■ Adım Sebastian, Berlinliyim.
❑ Ne güzel Türkçe konuşuyorsunuz!
■ Teşekkür ederim.

6 Spielen Sie eine ähnliche Situation nach.

→ *Affedersiniz / affedersin, Jörg Bey / ... hangi apartmanda ...?*
...

7 **Was sind denn das?** Tragen Sie ein.

üniversite ● lokanta ● banka ● okul ● hastane ● eczane

8a **Wer arbeitet wo?** Tragen Sie ein.

→ 1. Doktor hastane**de** çalışıyor.
2. Bankacı banka**da** çalışıyor.
3. Profesör ______
4. Garson ______
5. Eczacı ______
6. Öğretmen ______

8b **Hören Sie nun zu und kontrollieren Sie Ihre Antwort.**

9 **Wo arbeitet Ihr Partner?** Fragen Sie ihn.

→ *Siz nerede çalışıyorsunuz?* – *Ben … -de / -da çalışıyorum.*
Sen nerede çalışıyorsun? …

10 Bir bankada çalışıyorum. 36

Turgut: Ben çay içiyorum. Ya sen?
Pınar: Ben de çay istiyorum.
Turgut: Garson Bey!
Garson: Buyurun efendim.
Turgut: Lütfen iki çay.
Garson: Hayhay efendim.
...
Turgut : Ne var? Niçin gülüyorsun?
Pınar: Görmüyor musun? Uta da geliyor.
Turgut: Uta mı geliyor? O da kim?
Pınar: Uta da bu caddede oturuyor.
...
Uta: İyi günler.
Pınar: Merhaba Uta. Tanıştırayım: Turgut.
Turgut : Memnun oldum.
Uta: Ben de memnun oldum, Turgut Bey.
Pınar: Uta Türkçe öğreniyor.
Turgut: Kursta mı?
Uta: Evet, kursta.
Turgut: Nerede çalışıyorsunuz, Uta Hanım?
Uta: Bir bankada çalışıyorum.
Turgut: Ne güzel!

11 Richtig oder falsch?

	doğru	yanlış
1. Turgut kahve içiyor.		
2. Pınar gülüyor, Turgut gülmüyor.		
3. Uta bir büroda çalışıyor.		
4. Uta Türkçe öğreniyor.		

içmek	iç**iyor**um
gülmek	gül**üyor**um
çalışmak	çalış**ıyor**um
oturmak	otur**uyor**um

12 Wo wohnt und arbeitet Ihr Partner? Fragen Sie ihn.

→ *Nerede oturuyorsunuz? / oturuyorsun?* — *-de / -da oturuyorum. / ...*
... çalışıyorsunuz? / çalışıyorsun? — *-... / ... çalışıyorum.*
Eşiniz / ... nerede çalışıyor? — *-...*

Lokantada / ... ne içiyorsunuz / içiyorsun? — *-...*

13 **Berichten Sie über die jeweilige Person unter Verwendung der vorgegebenen Informationen.**

Ayşe Bach
Türk, 29 yaşında, İstanbul,
Bochum,
evli, eş, Alman, kız,
bankacı, banka

Ayşe, Türk.
____
Şimdi ______________________________
Evli, ______________________________
____
____
____

Uta Roll
Alman, 34, bekâr, araba,
sekreter, firma, Türkçe,
Düsseldorf, Mozartstraße 19a

Uta Hanım ______________________________
____
Türkçe ______________________________
____
____
____
____

Ali Akdağ, İzmir, 51, evli,
üç çocuk, garson, lokanta,
Tel. 357 92 84
Köln

Ali Bey ______________________________
____
____
____
____
____
____

14 **Interviewen Sie Ihren Partner und machen Sie sich Notizen.**

→ *Adı, soyadı? … mi?*
… var mı? … kaç?
…?…?

Nereli? Nerede …? Nerede …?
Türkçe …?

15 **Berichten Sie über Ihren Partner.**

→ *Adı Gabi, …*

DAS HABEN SIE GELERNT

GRAMMATIK

Nerede?	Brem*en*'**de**	Antaly*a*'**da**	hastanede	lokantada
	Berl*i*n'**de**	Çankır*ı*'**da**	şehirde	bankada
	K*ö*ln'**de**	B*o*nn'**da**	Jörg'de	doktorda
	Br*ü*hl'**de**	İstanb*u*l'**da**	Gül'de	okulda

İsve**ç**'te, Düsseldor**f**'ta, Müni**h**'te, Karabü**k**'te,
Sino**p**'ta, kur**s**ta, Ka**ş**'ta, Frankfur**t**'ta

Nerede	oturuyorsunuz?	Berlin'de oturuyorum.
	oturuyorsun?	Kantstraße'de oturuyorum.
Kaç numarada?		Kantstraße 3 numarada.
		Lahnweg 21c'de, Atatürk Bulvarı 45a'da.

Hangi apartmanda?	Bu apartmanda.
Nerede çalışıyorsunuz? / çalışıyorsun?	Bankada çalışıyorum.
Ne içiyorsunuz? / içiyorsun?	Ben çay içiyorum.
Ne istiyorsunuz? / istiyorsun?	Ben kahve istiyorum.

REDEMITTEL

Bende telefon numarası var.

Ne güzel!

Ne var? Niçin gülüyorsun?

Uta da bu caddede oturuyor.

Kaç numarada oturuyorsunuz?

Ayşe 26 yaşında.

Ne yapıyorsun?
Görmüyor musun? Sofada oturuyorum. Kahve içiyorum, Türkçe öğreniyorum.
GÜLE GÜLE

BEN BANKACIYIM

ICH BIN BANKANGESTELLTE(R)

BERUFE

1 **Welchen Beruf haben die abgebildeten Personen?** Tragen Sie ein.

dönerci ● avukat ● postacı ● pansiyoncu ● hemşire
dişçi ● şoför ● polis ● gözlükçü

NACH DEM BERUF FRAGEN

2 Ben bankacıyım, sizin mesleğiniz ne?

- ■ İyi yolculuklar.
- ❏ İyi yolculuklar. Berlinli misiniz?
- ■ Hayır, İstanbulluyum, ama şimdi Berlin'de oturuyorum.

…

- ❏ Mesleğiniz ne?
- ■ Bir bankada çalışıyorum.
- ❏ Yani?
- ■ Bankacıyım. Siz ne iş yapıyorsunuz?
- ❏ Ben dişçiyim.

3 Welchen Beruf hat Ihr Partner? Fragen Sie ihn.

→ *Ne iş yapıyorsunuz / yapıyorsun?* – *Bankacıyım / …*
Mesleğiniz / mesleğin ne? …

4 Tenisçi misin?

- ■ İyi yolculuklar.
- ❏ İyi yolculuklar. Münihli misin?
- ■ Hayır, Ankaralıyım, ama şimdi Münih'te oturuyorum.
- ❏ Tenisçi misin?
- ■ Hayır, öğrenciyim. Hafta sonu tenis oynuyorum. Sen ne iş yapıyorsun?
- ❏ Ben çaycıyım.

5 Ist Ihr Partner Tennisspieler? Fragen Sie ihn.

→ *Tenisçi / … misiniz? / … misin?* *– Evet, tenisçiyim. / …*
… *– Hayır, tenisçi değilim. / …*

6 Wo arbeitet er / sie? Vervollständigen Sie.

döner	döner**ci**
gözlük	gözlük**çü**
posta(ne)	posta**cı**
pansiyon	pansiyon**cu**

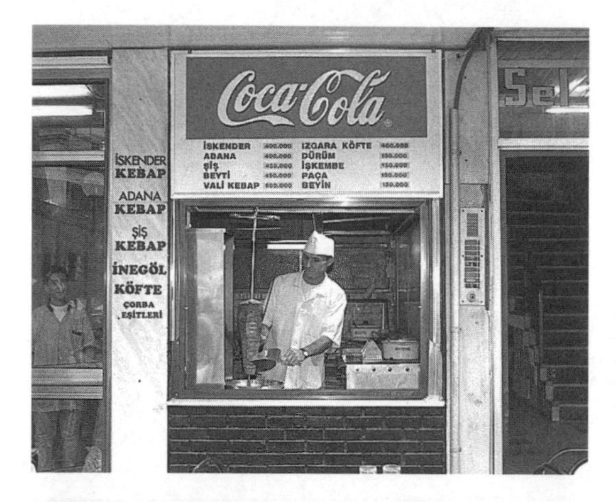

1. Güngör Bey dönercide çalışıyor.
2. Tarık Bey ______________________
3. Mehtap Hanım ____________________
4. Barbara Hanım ____________________

7 Welchen Beruf haben Güngör, Tarık, Mehtap und Barbara?
Hören Sie zu. Kreuzen Sie die richtige Anwort an.

39

1. **Güngör**
   - a. dönerci.
   - b. çaycı.
   - c. dişçi.
2. **Tarık**
   - a. polis.
   - b. gözlükçü.
   - c. garson.
3. **Mehtap**
   - a. postacı.
   - b. öğretmen.
   - c. hemşire.
4. **Barbara**
   - a. pansiyoncu.
   - b. gazeteci.
   - c. şoför.

8 Misafirlikte

Mehtap:	Hoş geldiniz, buyurun.
Tarık & Heike:	Hoş bulduk.
Mehtap:	Tanıştırayım: Tarık, eşi Heike; Uwe, Güngör.
Tarık & Heike:	Memnun oldum. İyi akşamlar.
Uwe:	Ben de memnun oldum.
Güngör:	Merhaba, merhaba!
	…
Tarık:	Ne iş yapıyorsunuz, Güngör Bey?
Güngör:	Dönerci olarak çalışıyorum. Dönercilik çok yorucu bir iş.
Tarık:	Ben gözlükçüyüm. Sizin mesleğiniz ne, Uwe Bey?
Uwe:	Ben pansiyonculuk yapıyorum. İşim kolay. Kız arkadaşım işsiz. İş arıyor. İşsizlik çok kötü.
Heike:	Efendim? "Pansiyonculuk yapıyorum" ne demek, anlamadım.
Uwe:	Şey… Yani pansiyoncuyum. Bir pansiyonum var.
Heike:	Enteresan. Şimdi anladım. Ben hemşireyim, ama hemşirelik yapmıyorum. Çünkü iki küçük çocuğumuz var.
Güngör:	Ne tesadüf! Annem de hemşire. Haftada kırk saat çalışıyor.
Mehtap:	Biliyorsunuz, ben postacıyım. Yarım gün çalışıyorum.

9 Schreiben Sie mehrere Behauptungen zum Inhalt des Dialogs auf.

Lesen Sie sie dann Ihrem Partner vor. Ihr Partner entscheidet, ob sie richtig oder falsch sind.

1. Güngör dönerci.
2. Uwe postacılık yapıyor.
3. Heike …
…

→ Dönerciyim.	Dönerci**lik yapıyorum**.	Dönerci **olarak çalışıyorum**.
Gözlükçüyüm.	Gözlükçü**lük**	Gözlükçü
Postacıyım.	Postacı**lık**	Postacı
Pansiyoncuyum.	Pansiyoncu**luk**	Pansiyoncu

10 Füllen Sie aus.

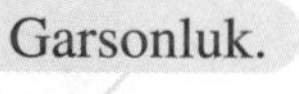
Garsonluk.

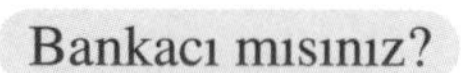
Bankacı mısınız?

Zeynep Hanım nerede çalışıyor?

Yorucu değil.

İşsiz, iş arıyor. ● Ne iş yapıyorsunuz? ● İşiniz nasıl?
Evet, ama pansiyoncu olarak çalışıyorum.

11 Jetzt sind Sie dran.

➔ *Dönerci misiniz?* — *– Evet, dönerciyim. / … Hayır, …*
Dönerci misin? — *– Evet, dönercilik yapıyorum. / … Hayır, …*
– Evet, dönerci olarak çalışıyorum. / … Hayır, …

İşiniz / işin nasıl? — *– Yorucu / …*

Eşiniz / … ne iş yapıyor? — *…*
… — *… -lik yapıyor.*
… olarak çalışıyor.

12 **Interviewen Sie Ihren Partner mit Hilfe der unten stehenden Wörter.**
Machen Sie sich Notizen und vervollständigen Sie dann die Liste.

yapmak	iş	yorucu	nerede?	hafta
çalışmak	meslek	kolay	kaç?	yarım gün
aramak	saat	zor	ne?	hafta sonu
	işsiz	nasıl?		

Adı	**Mesleği**	**Nerede çalışıyor?**	**Haftada kaç saat çalışıyor?**	**İşi nasıl?**

13 **Berichten Sie mündlich über Ihren Partner.**

→ *Adı Evelyn, mesleği …*

14 **Beschreiben Sie schriftlich einen anderen Teilnehmer, ohne seinen Namen zu nennen.** Anschließend werden die Zettel eingesammelt und verteilt. Wer ist damit gemeint?

…

15 Wer macht was? Vervollständigen Sie.

1. Sekreter …
   mektup yazıyor.
2. Ev hanımı …
3. Avukat …

16 Welche dieser Tätigkeiten übernimmt Ihr Partner, welche nicht? Fragen Sie ihn.

→ *Alışveriş yapıyorum, ama …*
Eşiniz? / …

DAS HABEN SIE GELERNT

GRAMMATIK

döner**ci**	döner**cilik**	öğretmen	öğretmen**lik**
gözlük**çü**	gözlükçü**lük**	şoför	şoför**lük**
posta**cı**	postacı**lık**	avukat	avukat**lık**
pansiyon**cu**	pansiyoncu**luk**	garson	garson**luk**

Mesleğiniz ne? / Mesleğin ne?	Dönerciyim.
Ne iş yapıyorsunuz? / Ne iş yapıyorsun?	Dönercilik yapıyorum.
	Dönerci olarak çalışıyorum.

Dönerci misiniz? / Dönerci misin? / …	Evet,	dönerciyim.
		dönercilik yapıyorum.
		dönerci olarak çalışıyorum.
	Hayır,	dönerci değilim, şoförüm.
		şoförlük yapıyorum.
		şoför olarak çalışıyorum.

REDEMITTEL

İşsizlik çok kötü.

Dönercilik çok yorucu bir meslek.

Yarım gün çalışıyorum.

Ne tesadüf! Ben de işsizim.

Ben çaycıyım.

Hafta sonu tenis oynuyorum.

7

HAFTA SONU NE YAPIYORSUNUZ?

WAS MACHEN SIE AM WOCHENENDE?

FREIZEITBESCHÄFTIGUNGEN

→ NEREYE?	
konser	konsere
bar	bar**a**
müze	müze**ye**
sinema	sinema**ya**

1 **Was machen die abgebildeten Personen?** 
Sehen Sie sich die Bilder an und tragen Sie ein.

Konsere gidiyor.

Bara gidiyor.

yüzmek ● tenis oynamak ● bara gitmek ● konsere gitmek ● müzik dinlemek
kitap okumak ● müzeye gitmek ● sinemaya gitmek ● televizyon izlemek

2 Bilden Sie Sätze entsprechend den folgenden Beispielen.

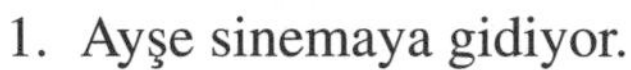

1. Ayşe sinemaya gidiyor.
2. Turgut yüzüyor.
3. Barbara ______________ öğreniyor.
4. Annem ______________ izliyor.
5. Arkadaşım ___________ oynuyor.
6. Eşim ______________ dinliyor.
7. Babam ______________ okuyor.

3 Wer macht was? Fragen Sie einige Kursteilnehmer und machen Sie eine Liste.

→ *Boş zamanınızda ne yapıyorsunuz? / Boş zamanında ne yapıyorsun?*
Tenis oynuyor musunuz? / oynuyor musun? / …
Evet / Hayır …

Etkinlikler	Adı	Ne yapıyor / Ne yapmıyor?	Nereye gidiyor / Nereye gitmiyor?
tenis oynamak			
sinemaya gitmek			
televizyon izlemek			
gezmek			
konsere gitmek			
yüzmek			
…			

4 Berichten Sie, was Sie über die anderen Teilnehmer erfahren haben.

→ *Annette televizyon izliyor, tenis oynamıyor. / …*
…

5 Hafta sonu ne yapıyorsun?

Güngör: Hafta sonu ne yapıyorsun, Ayşe?
Ayşe: Konsere gidiyorum.
Güngör: Ya sen Pınar?
Pınar: Ben tiyatroya gidiyorum.
Güngör: Banu nerede?
Turgut: Bilmiyor musun?
Banu Antalya'da.
Kart bekliyorum.
Ayşe: Birgit de Türkiye'ye gidiyor.
Turgut: Doğru.
Pınar: O da Antalya'ya mı?
Turgut: Hayır, Marmaris'e gidiyor.
Güngör: Hafta sonu mu?
Ayşe: Evet.
Güngör: Ya sen Turgut?
Yine maça mı?
Turgut: Tabii!
Güngör: Öyleyse ben sinemaya
yalnız gidiyorum.

6 **Was ist richtig?** Kreuzen Sie an.

1. **Ayşe**	2. **Turgut**	3. **Pınar**	4. **Güngör**
☐ a. sinemaya	☐ a. maça	☐ a. çamaşır yıkıyor.	☐ a. kursa
☐ b. konsere gidiyor.	☐ b. müzeye gidiyor.	☐ b. parka	☐ b. diskoteğe
☐ c. kitap okuyor.	☐ c. tenis oynuyor.	☐ c. tiyatroya gidiyor.	☐ c. sinemaya gidiyor.

7 **Was macht Ihr Partner am Wochenende, was macht er nicht?** Fragen Sie ihn.

→ *Hafta sonu ne yapıyorsunuz / yapıyorsun?* *– Sinemaya gidiyorum / …*
yapmıyorsunuz / yapmıyorsun? *– … / Tenis oynamıyorum. / … …*

8 Berichten Sie über Ihre Ergebnisse.

→ … sinemaya gidiyor, tenis oynuyor. / …
…

9 Türkiye'den kart var. 42

Turgut: Müjde!
Ayşe: Ne var?
Turgut: Türkiye'den kart var!
Ayşe: Türkiye'den nereden?
Turgut: Antalya'dan.
Ayşe: Antalya'dan kimden?
Turgut: Amma çok soruyorsun, ha!
Ayşe: Kart kimden?
Turgut: Bilmiyor musun?
Ayşe: Bilmiyorum.
Turgut: Banu Antalya'da değil mi?
Ayşe: Evet.
Turgut: Kart Türkiye'den Antalya'dan.
Ayşe: Banu'dan mı?
Turgut: Evet, kart Banu'dan.
Ayşe: Nerede?
Turgut: İşte, buyur.
Ayşe: Sağ ol!
Turgut: Sen de sağ ol.

→ **NEREDEN?**

konser	konser**den**
sinema	sinema**dan**
Zürih	Züri**h'ten**
Frankfurt	Frankfurt**'tan**

10 Eylül 1997

Sevgili Ayşe,
Sevgili Turgut,

Nasılsınız? Ben çok iyiyim.
Antalya ne güzel bir şehir!
Yüzüyorum, tenis oynuyorum. Her akşam diskoteğe gidiyorum, dans ediyorum.
Hafta sonu Zürih'ten Heidi geliyor.
Antalya'dan candan selamlar!

Banu

Turgut Korkmaz
Augustinerstr. 19b
80331 München

Almanya

10 **Schreiben Sie mehrere Behauptungen zum Inhalt des Dialogs und der Karte von Banu auf.** Lesen Sie sie dann Ihrem Partner vor. Ihr Partner entscheidet, ob sie richtig oder falsch sind.

1. Kart Antalya'dan. *2. Banu televizyon izliyor.*

...

11 **Was machen Suzan, Timur, Urs und Fatma?**
Hören Sie zu und schreiben Sie die richtige Antwort auf.

43

1. Suzan sinemaya mı gidiyor, sinemadan mı geliyor? Suzan ____________
2. Timur tiyatroya mı gidiyor, tiyatrodan mı geliyor? Timur ____________
3. Urs kursa mı gidiyor, kurstan mı geliyor? Urs ____________
4. Fatma konsere mi gidiyor, konserden mi geliyor? Fatma ____________

12 **Füllen Sie aus.**

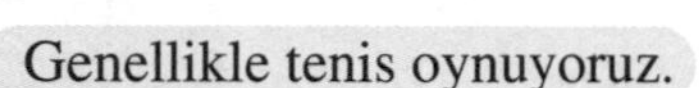
Genellikle tenis oynuyoruz.

Hayır, sinemadan geliyorum.

Boş zamanında ne yapıyorsun?

Kart kimden?

Olcay'dan. ● Hafta sonu ne yapıyorsunuz?
Nereden? Diskotekten mi? ● Kitap okuyorum.

13 **Was machen Sie am Wochenende, jeden Tag oder sowohl als auch?** 

Dinge, die ich jeden Tag mache
Her gün bulaşık yıkıyorum.
...

Dinge, die ich am Wochenende mache
Hafta sonu sinemaya gidiyorum.
...

Dinge, die ich morgens mache
Kahve pişiriyorum.
...

Dinge, die ich abends mache
Televizyon izliyorum.
...

Dinge, die ich im Stehen ausführe
Çiçek suluyorum.
...

Dinge, die ich im Sitzen ausführe
Kitap okuyorum.
...

Dinge, die ich gern mache
Severek müzik dinliyorum.
...

Dinge, die ich ungern mache
İstemeyerek bulaşık yıkıyorum.
...

14 **Besprechen Sie das Ergebnis mit Ihrem Partner.**

→ *Ben her gün alışveriş yapıyorum.*
Siz de yapıyor musunuz? / Sen de yapıyor musun? – *Evet / Hayır ...*
...

15 **Denken Sie sich drei Kategorien mit Ihrem Partner aus.**

hafta sonu	her gün	hem hafta sonu hem her gün
Yüzüyoruz.	*Gazete okuyoruz.*	*Hem gazete okuyoruz, hem müzik dinliyoruz.*
...	...	...

16 Was machen die abgebildeten Personen?
Sehen Sie sich die Bilder an und tragen Sie ein.

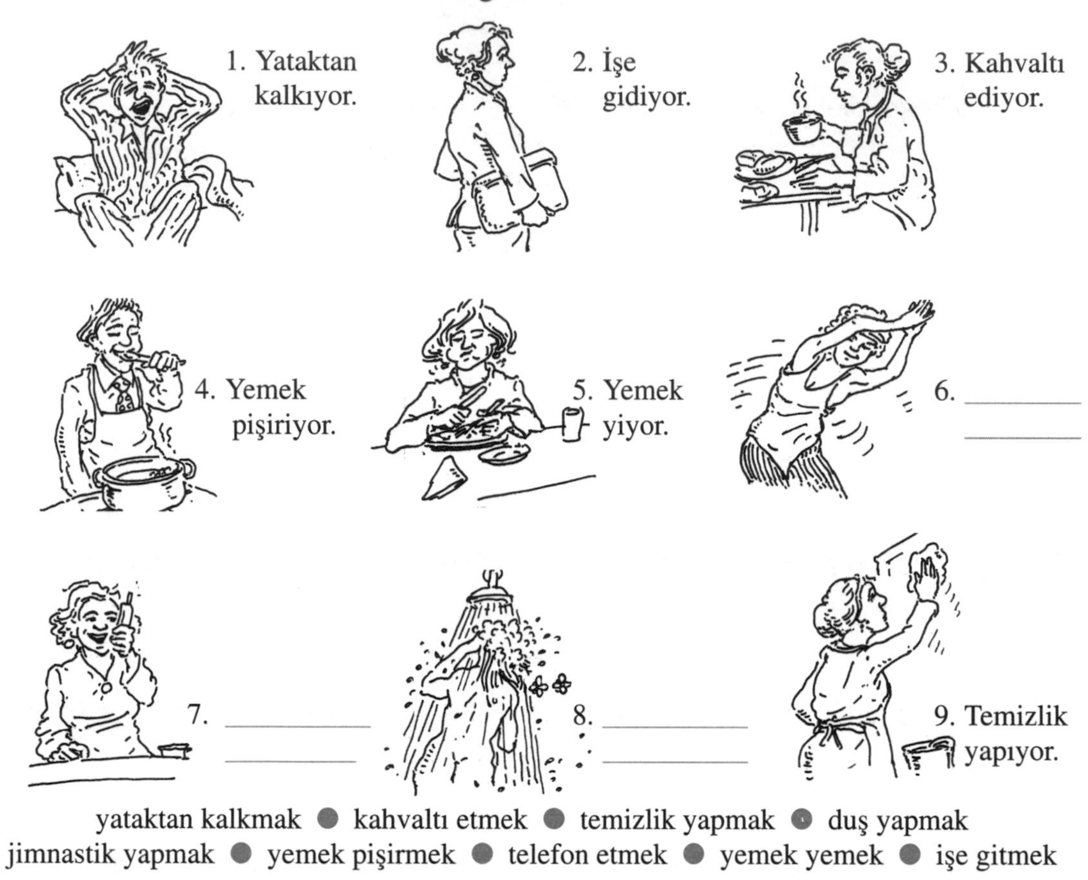
1. Yataktan kalkıyor.
2. İşe gidiyor.
3. Kahvaltı ediyor.
4. Yemek pişiriyor.
5. Yemek yiyor.
6. ________ ________
7. ________ ________
8. ________ ________
9. Temizlik yapıyor.

yataktan kalkmak ● kahvaltı etmek ● temizlik yapmak ● duş yapmak
jimnastik yapmak ● yemek pişirmek ● telefon etmek ● yemek yemek ● işe gitmek

17 Welche von diesen Tätigkeiten machen Sie jeden Tag, welche ab und zu?
Schreiben Sie auf.

her gün | arada sırada

18 Und Ihr Partner? Fragen Sie ihn.

→ *Her gün yemek pişiriyor musunuz? / …*
…

– Evet, her gün yemek pişiriyorum.
– Hayır, her gün yemek pişirmiyorum.
– Arada sırada yemek pişiriyorum.

7 DAS HABEN SIE GELERNT

GRAMMATIK

	etkinlik	etkinlik**ler**		selam	selam**lar**
Nereye?	konser**e**	bar**a**	**Kime?**	Gülşen'**e**	Pınar'**a**
	Berlin'**e**	Bartın'**a**		Kerstin'**e**	Barış'**a**
	Köln'**e**	Bonn'**a**		Jörg'**e**	Tom'**a**
	Brühl'**e**	İstanbul'**a**		Gül'**e**	Turgut'**a**
	müze**ye**	sinema**ya**		Ayşe'**ye**	Barbara'**ya**
	İsviçre'**ye**	Viyana'**ya**			
Nereden?	konser**den**	bar**dan**		ma*ç***tan**	
	Berlin'**den**	Bartın'**dan**		Düsseldor*f*'**tan**	
	Köln'**den**	Bonn'**dan**		Müni*h*'**ten**	
	Brühl'**den**	İstanbul'**dan**		Karabü*k*'**ten**	
				Sino*p*'**tan**	
	müze**den**	sinema**dan**		kur*s***tan**	
	İsviçre'**den**	Viyana'**dan**		Ka*ş*'**tan**	
				Frankfur*t*'**tan**	

REDEMITTEL

Nereye? Kime?
Nereden? Kimden?

Boş zamanınızda ne yapıyorsunuz?

Öyleyse
Müjde!
Amma çok soruyorsun, ha!
İşte buyur!
Sevgili Evelyn!
Candan selamlar.

Ben kursa gidiyorum. Ya siz?
Ben kurstan geliyorum. Güle güle.
GÜLE GÜLE
GÜLE

NASIL BİRİ?

WAS FÜR EINE PERSON IST ER / SIE?

MENSCHEN

1 **Ordnen Sie die unten stehenden Wörter der passenden Person zu.**

atletik ● utangaç ● düzensiz
sempatik ● kötümser ● komik ● romantik

2 **Kişilik testi**

☐ düzenli	☐ düzensiz
☐ realist	☐ romantik
☐ atletik	☐ atletik değil
☐ girgin	☐ utangaç
☐ iyimser	☐ kötümser
☐ komik	☐ ciddi
☐ sevimsiz	☐ sempatik

3 **Was für eine Person sind Sie?**

→ *Realist misiniz?*
– Evet, realistim. / … / oldukça …
Hayır, realist / … değilim.
Sanıyorum, … / …
Sanmıyorum.
Bilmiyorum, belki … / …

4 **Jetzt fragen Sie einige Kursteilnehmer, wie sie sind und machen Sie eine Liste.**

→ *… misiniz? / … misin?*

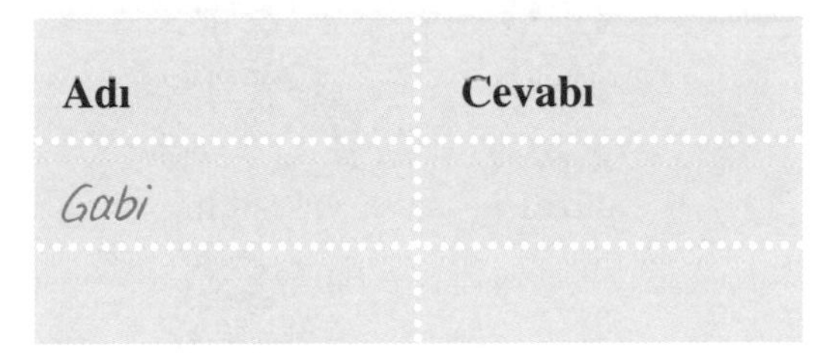

Adı	Cevabı
Gabi	

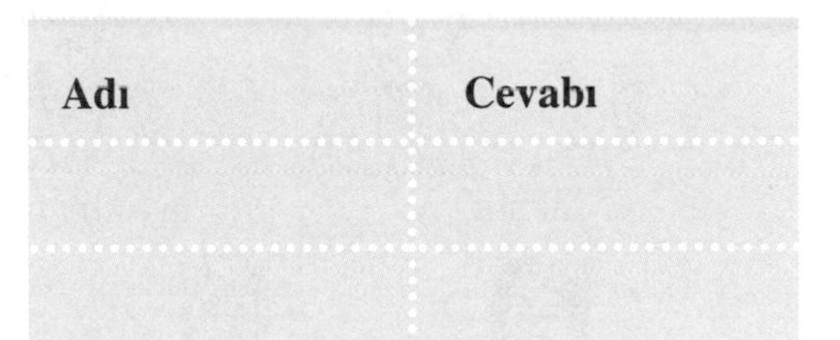

Adı	Cevabı

5 **Wie ist er / sie?** Berichten Sie über das Ergebnis.

→ *Gabi realist. / …*

6 **Lokantada**

Ayşe: O kim?
Gül: Kim?
Ayşe: Gözlüklü adam.
Gül: Ömer Bey.
Ayşe: Acaba ne iş yapıyor?
Gül: Eczacı. Aynı caddede oturuyoruz.
Ayşe: Çok sempatik…
Gül: Evet, öyle. Ama evli!
Ayşe: Oo!

7 **Beantworten Sie folgende Fragen zuerst schriftlich.** Lesen Sie die Antworten dann Ihrem Partner vor. Er entscheidet, ob sie richtig oder falsch sind.

1. Gözlüklü adam kim? *2. Ne iş yapıyor?* *3. Bekâr mı?* *4. Nasıl biri?*

8 Görünüş

9 Wer ist wer? Tragen Sie ein.

1. ‘Gabi mi? İnce uzun, kısa saçlı, esmer bir kız. Biraz utangaç.’
2. ‘Ali Bey çok sevimli, sakallı, şişman, uzun boylu. Nereli mi? Bilmiyorum.’
3. ‘Heidi Zürihli, hemşirelik yapıyor. Gözlüklü, romantik, kısa boylu. Uzun saçları var. Eşi Urs mu? Orta boylu, uzun saçlı, yakışıklı, kara gözlü. Bankacı.’

10 Axel'in annesi Alman, babası Türk

45

Pınar:	Sakallı bey kim?
Songül:	Benim yeni meslektaşım.
Pınar:	Adı ne?
Songül:	Axel Akdağ. Annesi Alman, babası Türk.
Pınar:	Efendim?
Songül:	Axel'in annesi Alman, babası Türk.
Pınar:	Hıım! Nereli?
Songül:	Kölnlü.
Pınar:	Acaba evli mi?
Markus:	Bilmiyorum.
Songül:	Oldukça sempatik görünüyor, değil mi?
Pınar:	Şey...
Markus:	Ne?
Pınar:	Evet, öyle.

→ **KİMİN?**
Axel'**in** anne**si**
Songül'**ün** anne**si**
Pınar'**ın** anne**si**
Markus'**un** anne**si**

11 Richtig oder falsch?

	doğru	yanlış
1. Axel'in soyadı Akbaş.		
2. Axel Songül'un yeni meslektaşı.		
3. Pınar'ın gözlüğü var.		
4. Markus'un annesi Alman, babası Türk.		
5. Markus'un sakalı var.		
6. Axel'in babası Alman.		

12 Wie sehen die abgebildeten Personen aus?

1. Ayşe kısa saçlı, kara gözlü.	a. *Ayşe'nin saçı kısa, gözleri kara.*
2. Dirk kısa saçlı, uzun boylu.	b. *Dirk'in saçı kısa, boyu uzun.*
3. Jörg uzun saçlı, kısa boylu.	c. *Jörg'*
4. Songül kısa saçlı, kara gözlü.	ç. *Songül'*
5. Petra mavi gözlü, ince uzun.	d. *Petra'*
6. Barış uzun sakallı, kısa boylu.	e. *Barış'*
7. Margot uzun boylu, mavi gözlü.	f. *Margot'*
8. Coşkun kısa boylu, uzun bıyıklı.	g. *Coşkun'*

13 Wie sehen Anke, Güngör, Birgit und Markus aus?

Hören Sie zu und kreuzen Sie die richtige Antwort an.

1. **Anke**	2. **Güngör**	3. **Birgit**	4. **Markus**
☐ a. uzun saçlı.	☐ a. saçsız.	☐ a. uzun boylu.	☐ a. kısa boylu.
☐ b. kara gözlü.	☐ b. kısa boylu.	☐ b. gözlüklü.	☐ b. şişman.
☐ c. esmer.	☐ c. bıyıklı.	☐ c. mavi gözlü.	☐ c. sakallı.

14 Zeichnen Sie einen Bekannten oder ein Familienmitglied, ohne dass Ihr Partner die Zeichnung sieht.

Stellen Sie dann Ihrem Partner Fragen zu seinem Bekannten oder Familienmitglied.

→ *Sakallı mı? / …* — *Evet, / Hayır …*

… …

15 Aile

Annemin annesi benim anneannem.
Annemin babası benim dedem.
Annemin kız kardeşi benim teyzem.
Annemin erkek kardeşi benim dayım.
Babamın annesi benim babaannem.
Babamın babası benim dedem.

Babamın kız kardeşi benim halam.
Babamın erkek kardeşi benim amcam.
Benden büyük erkek kardeşim benim ağabeyim.
Benden büyük kız kardeşim benim ablam.
Kardeşlerimin çocukları benim yeğenlerim.

16 Ömer'in ailesi

Welche Beschreibung passt auf wen?

Tragen Sie die Verwandtschaftsbezeichnungen der Familienmitglieder ein. 

»Adım Ömer, 27 yaşındayım, mühendisim. Uzun boyluyum. Annem 52 yaşında, ev hanımı, biraz şişman. Babam 55 yaşında, bıyıklı, orta boylu. Şoförlük yapıyor. Anneannem, düzensiz bir kadın. Kısa saçlı, ince uzun. Hasan dedem saçsız, esmer. Realist bir tip. Dayım uzun boylu, sakallı. Teyzem, komik bir tip. Her şeye gülüyor. Halam kara gözlü, esmer. Ablam, adı Göksel, ince uzun, kısa saçlı. Yeğenlerim resimde yok.«

17 Was für eine Familie hat Ihr Partner? Fragen Sie ihn.

→ *Sizin / senin … var mı?*	– *Evet, var.*
… yok mu?	*Hayır, yok.*
Nasıl görünüyor?	*Uzun boylu, / …*
Gözlüklü mü? / …	*Evet / hayır …*

DAS HABEN SIE GELERNT

GRAMMATIK

Nasıl?	düzen**li**	düzen**siz**
	gözlük**lü**	gözlük**süz**
	sakal**lı**	sakal**sız**
	çocuk**lu**	çocuk**suz**

Kimin?	Axel'**in**	anne**si** / baba**sı** / telefon**u** / gözlüğ**ü**
	Kerstin'**in**	
	Güngör'**ün**	
	Songül'**ün**	
	Pınar'**ın**	
	Barış'**ın**	
	Tom'**un**	
	Coşkun'**un**	
	Ayşe'**nin**	
	Ali'**nin**	
	…	
	Bengü'**nün**	
	Katja'**nın**	
	Sanlı'**nın**	
	Heiko'**nun**	
	Banu'**nun**	

REDEMITTEL

Nasıl biri? Gözlüklü biri.

Kimin yeni meslektaşı?
Songül'ün (yeni meslektaşı).

Çok yakışıklı, değil mi?
Evet, öyle.

27 yaşındayım.
Komik bir tip, her şeye gülüyor.

Siz de düzensiz misiniz?

9 SEYAHAT ACENTESİNDEN GELİYORUM

ICH KOMME VOM REISEBÜRO

ÖFFENTLICHE EINRICHTUNGEN & DIENSTLEISTUNGSBETRIEBE

1 **Was ist das?** Sehen Sie sich die Bilder an und tragen Sie ein.

Türk lokantası ● otobüs garajı ● Bulvar Eczanesi ● Urfa Kebapçısı
aile çay bahçesi ● danışma merkezi
seyahat acentesi ● erkek kuaförü ● Halk Yüksek Okulu

2 Memnun musun?

Turgut: Merhaba Yasemin!
Yasemin: İyi günler Turgut. Nereden geliyorsun?
Turgut: Seyahat acentesinden geliyorum.
Yasemin: Ne? Yinc Türkiyc'yc mi?
Turgut: Evet. Hafta sonu Türkiye'ye uçuyorum. Sende ne var, ne yok?
Yasemin: Ben Halk Yüksek Okulu'na gidiyorum. Biliyorsun, Almanca öğreniyorum.
Turgut: Memnun musun?
Yasemin: Memnunum. Sempatik arkadaşlarım var. Öğretmen çok iyi.

3 **Was ist richtig?** Kreuzen Sic an.

1. **Turgut**
   - a. seyahat acentesi**n**e gidiyor.
   - b. seyahat acentesi**n**de çalışıyor.
   - c. seyahat acentesi**n**den geliyor.

2. **Yasemin**
   - a. Halk Yüksek Okulu'**n**da çalışıyor.
   - b. Halk Yüksek Okulu'**n**a gidiyor.
   - c. Halk Yüksek Okulu'**n**dan geliyor.

→ *danışma – merkez*	danışma merkez**i**
Bulvar – eczane	Bulvar Eczane**si**
erkek – kuaför	erkek kuaför**ü**
Goethe – enstitü	Goethe Enstitü**sü**
otobüs – garaj	otobüs garaj**ı**
Türk – lokanta	Türk lokanta**sı**
seyahat – acente	seyahat acente**si**
halk – yüksek okul	Halk Yüksek Okul**u**

4 Verketten Sie die Wörter.

İtalyan	aile	Hamburg	otomobil	filarmoni	
arkeoloji	gözlükçü	orkestra	üniversite	turizm	okul
fabrika	şoför	büro	Viyana	lokanta	müze

1. Hamburg Üniversitesi
2. ______
3. ______
4. ______
5. ______
6. ______
7. ______
8. ______

5 Was machen Işılay und Alper?

Hören Sie zu und kreuzen Sie die richtige Anwort an.

1. Işılay
   - a. otobüs garajına gidiyor.
   - b. otobüs garajından geliyor.
   - c. otobüs garajında çalışıyor.

2. Alper
   - a. aile gözlükçüsünde çalışıyor.
   - b. aile gözlükçüsüne gidiyor.
   - c. aile gözlükçüsünden geliyor.

6 Wo geht Ihr Partner jeden Tag hin, wohin nicht? Fragen Sie ihn.

→ *Her gün nereye gidiyorsunuz / gidiyorsun? / …*
Her gün nereye gitmiyorsunuz / gitmiyorsun? / …
– Her gün … gidiyorum.
– Her gün … gitmiyorum.

Nerede çalışıyorsunuz / çalışıyorsun?
– Türk lokantasında çalışıyorum. / …
…

7 **Wer arbeitet wo?** Lesen Sie die Texte und ordnen Sie zu.

1. devlet hastanesi

3. Dokuz Eylül Üniversitesi

2. Türkçe Öğretim Merkezi

4. çocuk yuvası

a. ‘Ben Özcan, asistanım. Almanca dersleri veriyorum. Yeni bir meslektaşım var, Alman. Çok sempatik.’

b. ‘Adım Bilge, eğiticiyim. Yarım gün çalışıyorum, haftada yirmi saat. Çocuklar çok sevimli. Oynuyorlar, müzik dinliyorlar.’

c. ‘Öğretmenim. Türkçe dersleri veriyorum. Öğrenciler Alman, İngiliz, Avusturyalı, İsviçreli. Amerika’dan da birkaç öğrenci var. 20 – 25 yaşlarında görünüyorlar. Adım Samiye, soyadım Aydoğdu.’

ç. ‘Ben Sevim, hemşireyim. İşim yorucu, ama memnunum. Meslektaşlarım çok candan.’

8 **Schreiben Sie auf, wer wo arbeitet.**

Özcan Bey *asistan,* ______________________

Bilge Hanım ______________________

Samiye Hanım ______________________

Sevim Hanım ______________________

9 Danışmanlık enteresan bir meslek, fakat…

Yıldız:	Yorgun görünüyorsun.
Gül:	Evet, yorgunum. Danışma merkezinden geliyorum.
Orhan:	Hangi danışma merkezinden?
Gül:	Bilmiyor musun? Kreuzberg Danışma Merkezi'nde çalışıyorum.
Turgut:	İşinden memnun değil misin ?
Gül:	Danışmanlık enteresan bir meslek, fakat çok yorucu.
Yıldız:	Sekreterlik kolay mı sanıyorsun?
Gül:	Sen de haklısın.
Orhan:	Ben de çok çalışıyorum. Fakat işimden memnunum. Çünkü gazetecilik ilginç bir meslek.
Turgut:	Görüyorsunuz, garsonluk da yorucu. Gene de hayatımdan memnunum. Çünkü işsiz değilim.

10 Schreiben Sie mehrere Behauptungen zum Inhalt des Dialogs auf. Lesen Sie sie dann Ihrem Partner vor. Ihr Partner entscheidet, ob sie richtig oder falsch sind.

1. *Gül Kreuzberg Danışma Merkezi'nde çalışıyor.*
2.

…

→ Enteresan bir iş, **fakat** …
İşim çok yorucu, **gene de** …
İşimdem memnunum, **çünkü** …

11 Füllen Sie aus.

Anlamadım? Baban nerede çalışıyor?

Hayır, turizm bürosundan geliyorum.

İşinizden memnun musunuz?

Bu akşam ne yapıyoruz?

Evet, fakat çok yorucu. ● Urfa Kebapçısına gidiyoruz.
Nereden? Evden mi? ● Halk Yüksek Okulu'nda öğretmenlik yapıyor.

12 Und wie ist die Arbeit Ihres Partners?

Interviewen Sie ihn, machen Sie sich Notizen und berichten Sie dann mündlich.

→ *Nerede çalışıyorsunuz / çalışıyorsun?*
İşinizden memnun musunuz? / İşinden memnun musun?
Niçin?
...

13 Sind Sevgi und Gabi mit ihrer Arbeit zufrieden?

Hören Sie zu und kreuzen Sie die richtige Antwort an.

1. **Sevgi**
   - a. işinden memnun, fakat işi yorucu.
   - b. işinden memnun değil, çünkü haftada 40 saat çalışıyor.

2. **Gabi**
   - a. İşi çok, fakat işinden memnun.
   - b. işinden memnun değil, çünkü sekreterlik enteresan bir iş değil.

14 **Was machen wir wo?** Schreiben Sie.

film izlemek ● telefon etmek ● Türkçe öğrenmek ● bilet almak ● iş aramak
kart göndermek ● alışveriş yapmak ● yemek yemek, içki içmemek

1. *Merkez Postanesi'nden kart gönderiyoruz.*
2. ______________________
3. ______________________
4. ______________________
5. ______________________
6. ______________________
7. ______________________
8. ______________________

DAS HABEN SIE GELERNT

GRAMMATIK

danışma – merkez	danışma merkez**i**
Bulvar – eczane	Bulvar Eczane**si**
erkek – kuaför	erkek kuaför**ü**
Goethe – enstitü	Goethe Enstitü**sü**
otobüs – garaj	otobüs garaj**ı**
Türk – lokanta	Türk lokanta**sı**
seyahat – acente	seyahat acente**si**
halk – yüksek okul	Halk Yüksek Okul**u**

danışma merkezi**ne**	danışma merkezi**n**de	danışma merkezi**n**den
Halk Yüksek Okulu'**na**	Halk Yüksek Okulu'**n**da	Halk Yüksek Okulu'**n**dan
Goethe Enstitüsü'**ne**	Goethe Enstitüsü'**n**de	Goethe Enstitüsü'**n**den

REDEMITTEL

Sende ne var, ne yok?

İşinden memnun musun?
Evet, işimden memnunum, çünkü çok ilginç.
Evet, işimden memnunum, fakat yorucu.
İşim çok yorucu. Gene de memnunum.

Hayır, işimden memnun değilim.
Çünkü ilginç değil.

Nerede Türkçe öğreniyorsun?
Wilmersdorf Halk Yüksek Okulu'nda.
VHS

Yirmi yirmi beş yaşlarında görünüyor.

Hangi acenteden? Seyahat acentesinden.

10 SAAT YEDİDE KALKIYORUM

ICH STEHE UM SIEBEN UHR AUF

DIE UHRZEIT (1)

1 **Wie spät ist es?** Tragen Sie die Uhrzeit ein.

Saat bir.

Saat iki.

Saat üç.

Saat on buçuk.

Saat yarım.

2 **Füllen Sie aus.**

Bir şey değil. ● Saat kaç? ● Teşekkür ederim. ● Saat yedi.

ÜBER DEN TAGESABLAUF SPRECHEN (1)

3 Um wie viel Uhr? Tragen Sie ein.

(saat) altıda

(saat) yedide

____

____

____

(saat) dokuz buçukta

____

____

(saat) yarımda

→ **Saat kaçta?**
-de / -da
-te / -ta

4 Ne var, ne yok? 51

■ Merhaba Jale.
❑ İyi günler Mehmet. Ne var, ne yok?
■ Biliyorsun, işsizim. Her gün aynı şeyler: Saat yedide kalkıyorum, tıraş oluyorum, duş yapıyorum. Saat yedi buçukta kahvaltı ediyorum…
❑ Haklısın Mehmet, her gün aynı şeyler. Ben saat altıda kalkıyorum. Kahvaltı altı buçukta. Yedide işe gidiyorum. Dörtte işten geliyorum, yemek pişiriyorum, televizyon izliyorum. Arada sırada tiyatroya gidiyorum. Hayat böyle, Mehmet.
■ Sen de haklısın, Jale.

5 Schreiben Sie mehrere Behauptungen zum Inhalt des Dialogs auf.
Lesen Sie sie dann Ihrem Partner vor. Er entscheidet, ob sie richtig oder falsch sind.

1. Mehmet saat sekizde kalkıyor. *3. …*
2. Jale işsiz. Her gün sinemaya gidiyor. *4. …*

6 Was macht Ihr Partner um wie viel Uhr? Fragen Sie ihn.

→ *Saat kaçta kalkıyorsunuz / kalkıyorsun? / …* – *Saat altıda kalkıyorum. / …*
… …

7 **Setzen Sie die fehlenden Verben ein.**

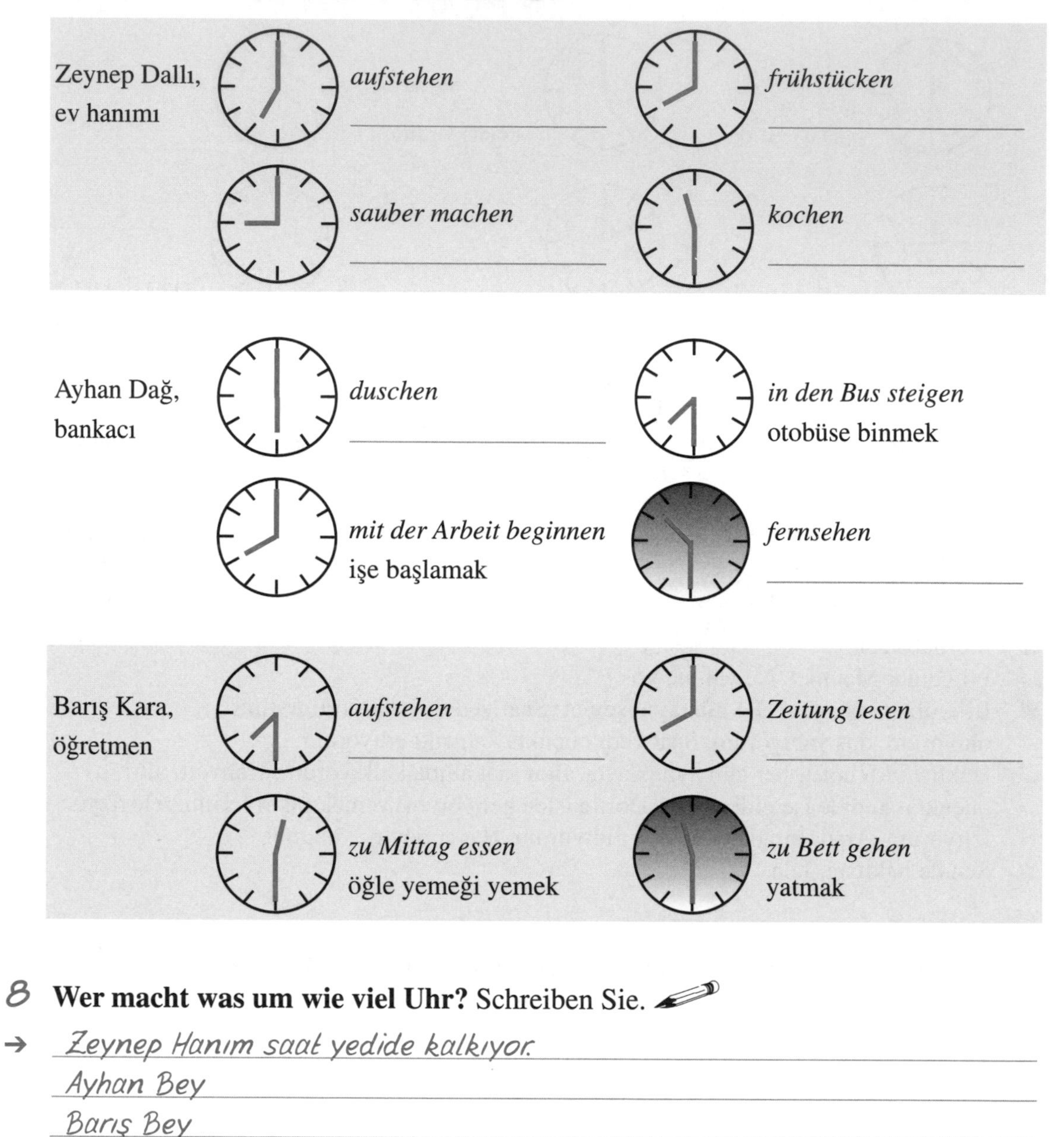

8 **Wer macht was um wie viel Uhr?** Schreiben Sie.

→ *Zeynep Hanım saat yedide kalkıyor.*

Ayhan Bey ______________________________

Barış Bey ______________________________

10 DIE UHRZEIT (2)

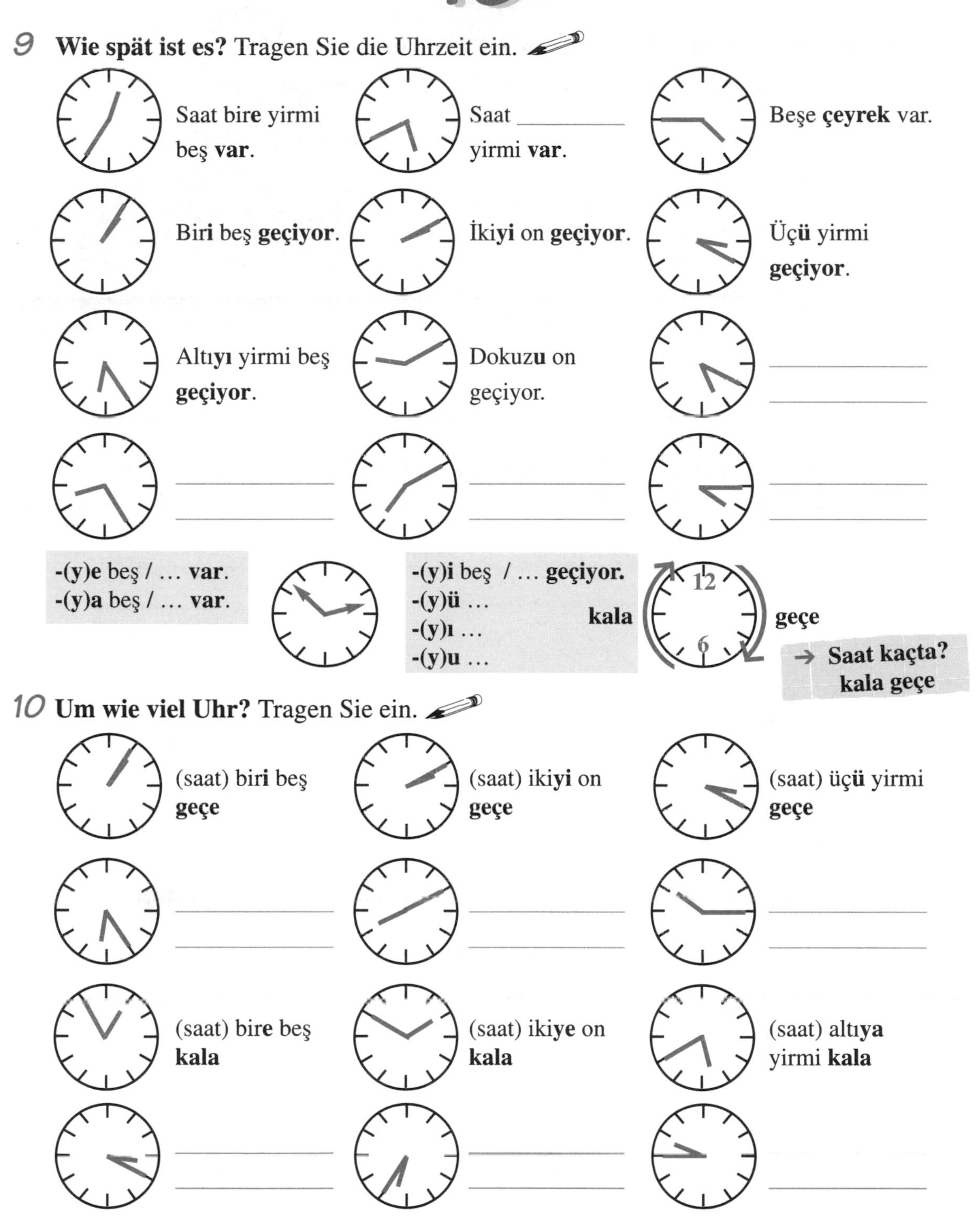

9 Wie spät ist es? Tragen Sie die Uhrzeit ein.

Saat bir**e** yirmi beş **var**.

Saat ________ yirmi **var**.

Beşe **çeyrek** var.

Bir**i** beş **geçiyor**.

İki**yi** on **geçiyor**.

Üç**ü** yirmi **geçiyor**.

Altı**yı** yirmi beş **geçiyor**.

Dokuz**u** on geçiyor.

-(y)**e** beş / … **var**.
-(y)**a** beş / … **var**.

-(y)**i** beş / … **geçiyor.**
-(y)**ü** …
-(y)**ı** …
-(y)**u** …
kala

12
6
geçe

→ **Saat kaçta?**
kala geçe

10 Um wie viel Uhr? Tragen Sie ein.

(saat) bir**i** beş **geçe**

(saat) iki**yi** on **geçe**

(saat) üç**ü** yirmi **geçe**

(saat) bir**e** beş **kala**

(saat) iki**ye** on **kala**

(saat) altı**ya** yirmi **kala**

ÜBER DEN TAGESABLAUF SPRECHEN (2)

11 Saat dokuzda Güler'i çocuk yuvasına götürüyorum.

52

'Adım Zeynep Dallı, ev hanımıyım.
Bir kızım var, adı Güler. Saat yedide kalkıyoruz.
Sekizde kahvaltı yapıyoruz. Dokuzda
Güler'i, komşu kızı Banu'yu çocuk yuvasına
götürüyorum. On buçukta alışveriş yapıyorum.
On ikide yemek pişiriyorum. Üçte kahve içiyorum,
pasta yiyorum, biraz dinleniyorum. Dörtte kızımı
çocuk yuvasından alıyorum. Güler yedi buçukta
yatıyor. Ben televizyon izliyorum, saat on bire doğru
ben de yatıyorum. Ya siz? Siz neler yapıyorsunuz?'

12 Schreiben Sie mehrere Behauptungen zum Inhalt des Textes auf.

Lesen Sie sie dann Ihrem Partner vor. Er entscheidet, ob sie richtig oder falsch sind.

1. *Zeynep Hanım saat yedide kahvaltı yapıyor.*
2. *Zeynep Hanım Güler'i sekiz buçukta çocuk yuvasına götürüyor.*

...

→ **Kimi?**

Güler'**i**	Gabi'**yi**
Güngör'**ü**	Gül'**ü**
Pınar'**ı**	Barış'**ı**
Tom'**u**	Banu'**yu**

13 Was macht Serap Hanım um wie viel Uhr?

53

Hören Sie zu und kreuzen Sie die richtige Uhrzeit an.

1. Serap Hanım saat kaçta kalkıyor?
2. Saat kaçta kızını çocuk yuvasına götürüyor?
3. Saat kaçta yatıyor?

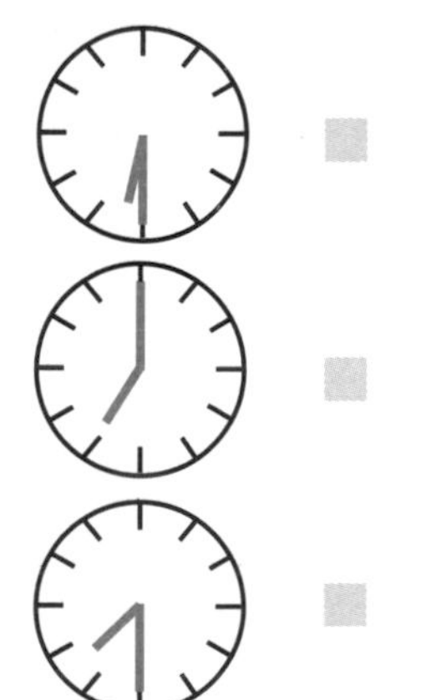

14 Füllen Sie aus.

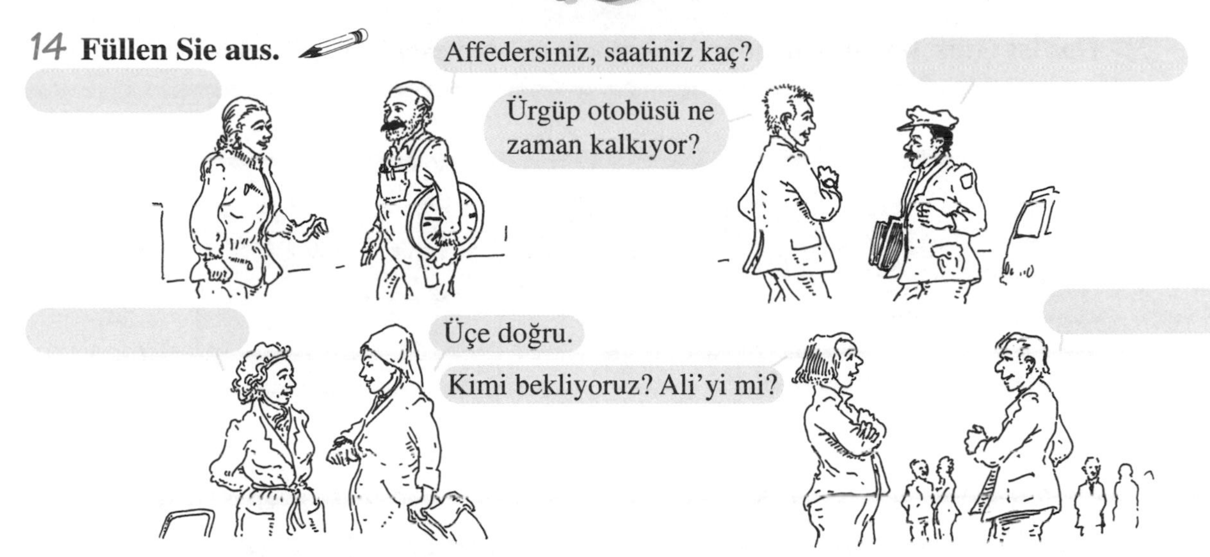

Affedersiniz, saatiniz kaç?
Ürgüp otobüsü ne zaman kalkıyor?
Üçe doğru.
Kimi bekliyoruz? Ali'yi mi?

Hayır, Güngör'ü. ● Dokuzu çeyrek geçe.
Markus'u saat kaçta bekliyorsunuz? ● Dokuzu çeyrek geçiyor.

15 Wann fährt der Zug ab? Hören Sie zu und kreuzen Sie die richtige Antwort an. 54

1. Ankara treni saat ... kalkıyor.
2. İzmir treni saat ... kalkıyor.
3. İstanbul treni saat ... kalkıyor.

16 Was macht Ihr Partner jeden Tag? Fragen Sie ihn und machen Sie sich Notizen.

→ *Kahvaltı yapıyor musunuz / yapıyor musun? Saat kaçta?* — *Evet / Hayır…*
… *Saat …*

17 Berichten Sie über das, was Sie erfahren haben.

→ *Monika kahvaltı yapıyor. / … Saat …*

18 Das ist Güls Terminkalender. Was macht sie in dieser Woche? Schreiben Sie.

1 Pazartesi	2 Salı	3 Çarşamba	4 Perşembe	5 Cuma	6 Cumartesi	7 Pazar
						10.00 Piknik
					11.00 Alışveriş	
	15.00 Kuaför	16.15 Almanca kursu	17.40 Misafir	20.00 Tiyatro	21.00'e doğru Disko	
19.30 Hasır Lokantası		18.30 Uwe	TV (TRT-İNT) Haberler			

1. *Pazartesi günü saat ...*
2.
3.

...

19 Was macht sie vielleicht noch? Schreiben Sie 4 – 5 Sätze auf einen Zettel und tragen Sie sie dann vor.

→ *Belki arkadaşlarını ziyaret ediyor. / ...*
...

20 Was macht Ihr Partner die ganze Woche lang? Fragen Sie ihn.

→ *Bütün hafta boyunca ne yapıyorsunuz? / yapıyorsun?* – *Saat yedide kalkıyorum. / ... Akşamları televizyon ...*

...

10 DAS HABEN SIE GELERNT

GRAMMATIK

Saat kaç?	Saat bir. Saat yarım. Saat bir buçuk.	Saat biri beş **geçiyor**. biri çeyrek geçiyor. bir**e** beş **var**. bire çeyrek var.
Saat kaçta?	Saat bir**de**.	Saat bir buçuk**ta**. dört**te**. bir**i** beş **geçe**. altıy**a** beş **kala**.

Kimi bekliyorsunuz?	Güler'**i** Güngör'**ü** Pınar'**ı** Tom'**u**	Gabi'**yi** Gül'**ü** Barış'**ı** Timur'**u**

REDEMITTEL

Saat kaç?
Affedersiniz, saatiniz kaç?
Affedersin, saatin kaç?

Saat kaçta?
Saat yarımda.
Saat üçe doğru.

Ne var, ne yok?
Her gün aynı şeyler.
Hayat böyle.

Kimi?

Akşamları televizyon izliyorum.

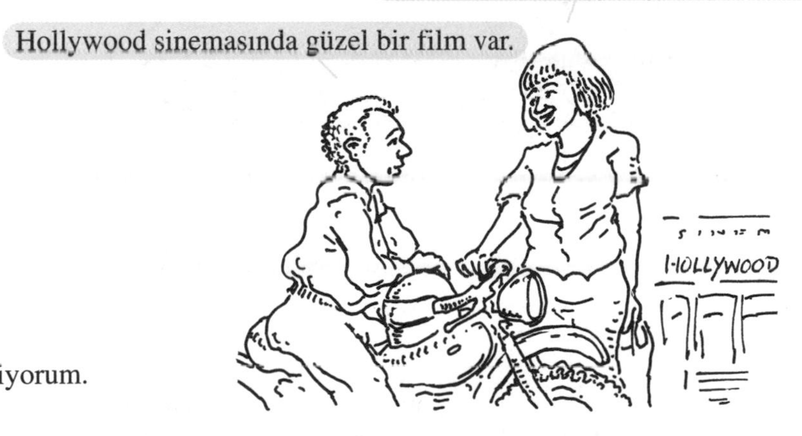

Benim bu hafta hiç boş zamanım yok.
Hollywood sinemasında güzel bir film var.
HOLLYWOOD

11 ALANYA'YA GİTMEK İSTİYORUZ

WIR WOLLEN NACH ALANYA FAHREN

SPORT UND FREIZEIT

1 Setzen Sie die passenden Verben ein.

sörf yapmak ● kayak yapmak ● yüzmek
kamp yapmak ● çıkmak ● yapmak ● yelkenli sürmek ● katılmak

2 Tatilde ne yapmak istiyorsunuz?

Leyla: Nasılsınız?
Serpil: İyiyim. Ya siz?
Leyla: Sağ olun. Ben de iyiyim.
Serpil: Çocuklar nasıl?
Leyla: Onlar da iyi. Tatili bekliyorlar.
Serpil: Tatilde ne yapıyorsunuz?
Leyla: Tatil geldi mi, ver elini Türkiye!
Serpil: Türkiye'de nereye gitmek istiyorsunuz?
Leyla: Önce İstanbul'da birkaç gün kalmak istiyoruz.
Serpil: Sonra?
Leyla: Sonra doğru Alanya'ya! Eşim sörf yapmak, biz de yüzmek istiyoruz.
Serpil: Ben beş ağustosta tatile çıkmak istiyorum.
Leyla: Ne zaman? Beş ağustosta mı?
Serpil: Evet. Beş ağustosta İnterlaken'e gitmek istiyorum.
Leyla: İnterlaken'e mi? Birini mi ziyaret etmek istiyorsunuz?
Serpil: Hayır, dağa çıkmak istiyorum.
Leyla: Çok enteresan!

Tatil geldi mi, ver elini Türkiye!

3 **Schreiben Sie mehrere Behauptungen zum Inhalt des Dialogs auf.** Lesen Sie sie dann Ihrem Partner vor. Ihr Partner entscheidet, ob sie richtig oder falsch sind.

1. Leyla Hanım evli, çocukları var.
2. Serpil Hanım on beş ağustosta İnterlaken'e gitmek istiyor.

...

→ **Ne zaman?**
beş ağustosta
iki eylülde

→ AYLAR

ocak	şubat	mart	nisan	mayıs	haziran
temmuz	ağustos	eylül	ekim	kasım	aralık

4 Füllen Sie aus.

Evet. Tatil geldi mi, ver elini Antalya.

Ne zaman tatile çıkmak istiyorsunuz?

Hayır, Türkiye turu yapmak istiyoruz.

Ben hem Türkçe öğrenmek
hem kamp yapmak istiyorum.

Anlamadım. Kayak yapmak mı istiyorsunuz? ● Yine Türkiye'ye mi?
Senin tatil programın nasıl? ● İnşallah mayısta.

5 Was wollen Suzan und Martin in den Ferien machen?
Kreuzen Sie die richtige Antwort an.

56

1. **Suzan** tatilde
   a. Çeşme'de sörf yapmak
   b. Datça'da kamp yapmak
   c. Kaş'a gitmek, yüzmek istiyor.

2. **Martin** tatilde
   a. Datça'da hem tatil yapmak, hem Türkçe öğrenmek
   b. dağa çıkmak
   c. Türkiye turu yapmak istiyor.

6 Was will Ihr Partner in den Ferien machen? Fragen Sie ihn.

→ *Tatilde ne yapıyorsunuz / yapıyorsun?* – *Kayak yapmak istiyorum. / …*
Ne zaman … ? – …
…

7 Gelecek cumartesi konsere gitmek istiyorum.

57

Hasan: Gelecek çarşamba akşamı ne yapıyorsun?
Anke: Ben çarşamba akşamları sinemaya gidiyorum.
Hasan: Ben de.
Anke: Ama gelecek çarşamba akşamı jimnastik yapmak istiyorum.
Hasan: Peki. Gelecek hafta sonu programın var mı?
Anke: Hangi gün? Cumartesi mi, pazar mı?
Hasan: Gelecek cumartesi.
Anke: Boşum. Niçin soruyorsun?
Hasan: Ben konsere gitmek istiyorum.
Anke: Beni davet mi etmek istiyorsun? Biletin var mı?
Hasan: Evet, iki biletim var. Seni davet ediyorum.
Anke: Teşekkür ederim. Davetini kabul ediyorum.
Hasan: Memnun oldum.

8 Richtig oder falsch?

	doğru	yanlış
1. Hasan çarşamba akşamları tiyatroya gidiyor.		
2. Anke gelecek çarşamba akşamı jimnastik yapmak istiyor.		
3. Hasan Anke'ye tatil programını soruyor.		
4. Anke'nin cumartesi günü boş zamanı yok.		
5. Hasan Anke'yi diskoteğe davet etmek istiyor.		
6. Anke Hasan'ın davetini kabul etmiyor.		

→ bugün
bu sabah
bugün öğleden önce
öğlen / öğleyin
öğleden sonra
bu akşam
gece

yarın
yarın sabah
öğleden önce
öğlen / öğleyin
öğleden sonra
akşam
gece
öbür gün

gelecek pazartesi
hafta
hafta sonu
ay
ocak
yıl

iki saat sonra
gün
hafta
ay
yıl

dersten sonra
dersten önce

9 Was haben die abgebildeten Personen vor?

→ akşamları / geceleri
salı günleri / …
hafta sonları

1. Serpil her yıl ağustosta tatile çıkıyor. Bu yıl ________________ tatile çıkmak istiyor.
2. Heinz Bey salı günleri geziyor. Gelecek salı ________________
3. Şevket Bey akşamları televizyon izliyor. Yarın akşam ________________
4. Mehmet'le Ursine hafta sonları sörf yapıyorlar. Gelecek hafta sonu ________________
5. Samiye öğleden önceleri alışveriş yapıyor. Yarın öğleden önce ________________
6. Anita işten sonra her akşam müzik dinliyor. İşten sonra bu akşam ________________

10 Was macht Ihr Partner in den Ferien, am Wochenende, abends usw.?

Fragen Sie ihn, machen Sie sich Notizen und berichten Sie dann über das Ergebnis.

→ *Akşamları ne yapıyorsunuz? Bu akşam ne yapmak istiyorsunuz?* – …
…

11 **Was ist das?** Tragen Sie ein.

lokanta ● kütüphane ● sinema
plaj ● diskotek ● birahane ● süpermarket ● konser salonu

12 **Was machen Sie, wenn Sie … wollen?**
Schauen Sie sich die Abbildungen an und antworten Sie schriftlich.

→ 1. Yemek yemek istiyorsunuz. – *Lokantaya gidiyorum, yemek yiyorum.*
2. Yüzmek istiyorsunuz. ______
3. Müzik dinlemek istiyorsunuz. ______
4. Alışveriş yapmak istiyorsunuz. ______
5. Kitap okumak istiyorsunuz. ______
6. Film izlemek istiyorsunuz. ______
7. Dans etmek istiyorsunuz. ______
8. Bira içmek istiyorsunuz. ______

13 Was ist das? Tragen Sie ein.

uçak ● tren ● dolmuş ● kamyonet
otomobil ● taksi ● tramvay ● vapur ● yolcu otobüsü

14 Wohin oder zu wem? Womit?
Fragen Sie Ihren Partner.

→ *Eczaneye / … neyle gidiyorsunuz?*
– Eczaneye yayan gidiyorum.
…

	→ **Neyle?**	
otobüs	Otobüs**le**	gidiyorum.
tramvay	Tramvay**la**	
taksi	Taksi**yle**	
metro	Metro**yla**	

→ *Tatile / … kiminle gidiyorsun?*
– Kerstin'le, Markus'la, Heidi'yle, Heiko'yla.
…

→ **Kiminle?**
Martin'le
Lars'la

11 DAS HABEN SIE GELERNT

GRAMMATIK

istemek

git**mek istemek**	Tatilde Türkiye'ye gitmek istiyoruz.
katıl**mak istemek**	Türkçe kursuna katılmak istiyorum.

Ne yapmak istiyorsunuz?	Şehir turu yapmak istiyorum. / Yüzmek istiyoruz.
istiyorsun?	Elke'yi ziyaret etmek istiyorum.
Gelmek istiyor musunuz?	Evet, istiyorum / gelmek istiyorum.
	Hayır, istemiyorum / gelmek istemiyorum.
Ne istiyorsunuz?	Çay istiyorum. / Çay içmek istiyorum.

Ne zaman?	bugün / bu sabah / bu akşam / bu gece	sabahları
	bu pazar / hafta / hafta sonu / ay / yıl	salı günleri
	öğleden önce / sonra, dersten önce / sonra	öğleden önceleri
	yarın / yarın öğlen, öğleyin / akşam / gece	öğleden sonraları
	nisanda / ağustosta	akşamları
	gelecek cuma / hafta / hafta sonu / ay / yıl	geceleri
		hafta sonları

Ne ile / Neyle?	otobüsle / tramvayla / taksiyle / metroyla
Kimin ile / Kiminle? / Kim ile? / Kimle?	Uwe ile / Uwe'yle
	Markus ile / Markus'la

REDEMITTEL

Tatilde ne yapıyorsunuz?
Tatil geldi mi, ver elini Türkiye!
Beş ağustosta tatile çıkmak istiyoruz.

Ne zaman?
Çarşamba akşamları sinemaya gidiyoruz.

İşe neyle gidiyorsunuz?

Hiç boş zamanım yok.

Evet. Tatil geldi mi, ver elini Çeşme!
Yine Türkiye'ye mi?

DÜN NE YAPTINIZ?

WAS HABEN SIE GESTERN GEMACHT?

ALLTAGSSITUATIONEN

1 **Was haben die abgebildeten Personen gemacht?** Vervollständigen Sie.

1. Işık eve gel**di**.
2. Uwe __________
3. Evelyn yüz**dü**.
4. Pınar mektup yaz**dı**.
5. Barış __________
6. Gabi __________
7. Fatma kızını çocuk yuvasına __________
8. Timur gazete oku**du**.

götürmek ● yemek pişirmek ● yemek yemek ● tenis oynamak

2 Dün ne yaptın?

Pınar: Alo!
Işık: Merhaba Pınar. Nasılsın?
Pınar: İyi günler Işık, iyiyim. Sen nasılsın?
Işık: Sağ ol, ben de iyiyim. Dün ne yaptın?
Pınar: Dün mü? Ooh! Alışveriş yaptım, kitap okudum, yüzdüm. Kızımı çocuk yuvasına götürdüm, çocuk yuvasından aldım. Ya sen?
Işık: Saat on birde Fatma geldi. Yemek pişirdik. Parkta gezdik. Sergiye gittik.
Pınar: Ne güzel! Evelyn'den, Uta'dan ne haber? Trabzon'dan döndüler mi?
Işık: Hayır. Geçen hafta Uta'dan bir kart aldım, dün akşam da telefon etti. Sana da selam söyledi. Evelyn'den hiçbir haber yok.
Pınar: Bizi unuttu herhalde.
…

3 Schreiben Sie mehrere Behauptungen zum Inhalt des Dialogs auf.

Schreiben Sie mehrere Behauptungen zum Inhalt des Dialogs auf. Lesen Sie sie dann Ihrem Partner vor. Ihr Partner entscheidet, ob sie richtig oder falsch sind.

1. Pınar dün yüzdü.
2. Işık'la Fatma konsere gittiler.
…

4 Vervollständigen Sie.

	gelmek	yüzmek	yazmak	okumak	gelmemek	yazmamak
(ben)	**gel*di*m**	**yüz*dü*m**	**yaz*dı*m**	**oku*du*m**	**gelme*di*m**	**yazma*dı*m**
(sen)	**gel*di*n**					
(o)	gel*di*					
(biz)	**gel*di*k**					
(siz)	**gel*di*niz**					
(onlar)	gel*di* / gel*di*ler					

5 **Füllen Sie aus.**

Uwe Ankara'da mı?

Ülkü'yü gördün mü?

Aç mısın?

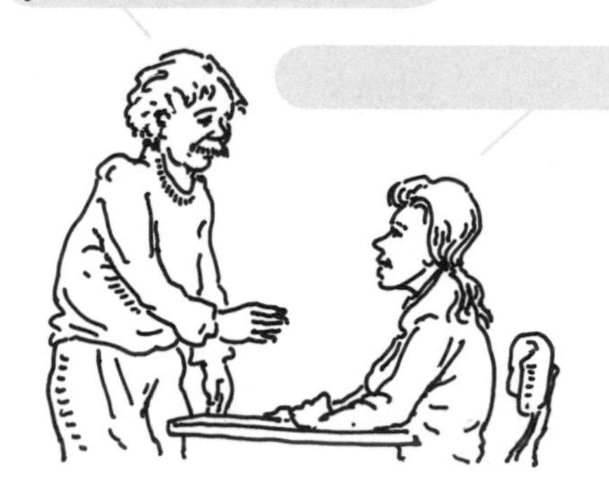

Biraz önce danışma merkezine gitti. ● Senin için kahve pişirdim.
Dün akşam ne yaptın? ● Teyzemde yemek yedim. ● Annen cevap bekliyor.
Bilmiyor musunuz? İki gün önce döndü.

6 **Welcher Satz passt zu welcher Abbildung?** Tragen Sie ein.

a. ‘Arkadaşıma telefon ettim.’
b. ‘İşten geldim. Sirke gittim, üç bilet aldım.’
c. ‘Ne zaman mı? Dün! Dün kitap okudum.’
ç. ‘Fotoğraf çekmek benim hobim. Yine fotoğraf çektim.’
d. ‘Eşim ve ben alışveriş yaptık.’

7 **Wer hat was gemacht?** Vervollständigen Sie.

1. Bıyıklı adam kitap okudu.
2. Uzun boylu fotoğrafçı ______________________________
3. Yakışıklı adam ______________________________
4. Şişman adamla gözlüklü hanım ______________________________
5. İnce uzun hanım ______________________________

8 Was hat Ihr Partner gestern wohl gemacht? Schreiben Sie einige Sätze.

→ *Dün belki sinemaya gitti.*

9 Jetzt fragen Sie Ihren Partner, er antwortet darauf, dann wechseln Sie.

→ *Dün sinemaya gittiniz mi? / gittin mi?* – *Evet, gittim. / – Hayır, gitmedim.*
… – …

10 Welche drei Dinge haben sowohl Sie als auch Ihr Partner gemacht?

→ *Ben yemek pişirdim. O da yemek pişirdi.* *Biz yemek pişirdik.*
… …
Ben tenis oynamadım. O da tenis oynamadı. *Biz tenis oynamadık.*
… …

11 Was haben Çiğdem und der Chef gestern gemacht?
Kreuzen Sie die richtige Antwort an.

59

1. Çiğdem dün
   - a. 8 buçukta
   - b. 8'e çeyrek kala
   - c. 8'de işe başladı.

2. Çiğdem dün akşam
   - a. lokantada
   - b. bir arkadaşında
   - c. evde yemek yedi.

3. Şef dün büroya
   - a. geldi.
   - b. gelmedi, Bonn'a gitti.
   - c. gelmedi, Köln'e gitti.

→ dün
dün sabah
dün akşam
dün gece
önceki gün

geçenlerde
geçen gün
geçen hafta
geçen hafta sonu

geçen cuma
geçen ay
geçen yıl

biraz önce
bir saat önce
iki hafta önce

ERZÄHLEN, WANN UND WO MAN ETWAS GEMACHT HAT

12 **Dinge, die ich gestern Vormittag, Nachmittag und Abend gemacht habe.**

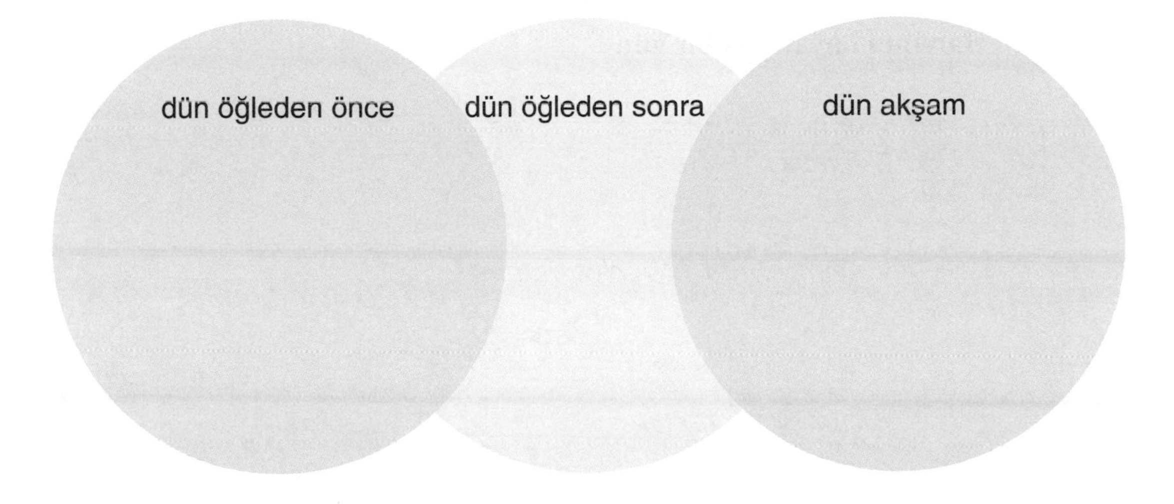

13 **Was haben Sie gestern Nachmittag in der Arbeit und zu Hause gemacht?** Schreiben Sie auf.

→ *İşte mektup yazdım. Evde temizlik yaptım.*
…

14 **Was haben Sie am letzten Wochenende gemacht?** Schreiben Sie auf.

→ *Tenis oynadım.*
…

15 **Was haben Sie sowohl am letzten Wochenende als auch jeden Tag gemacht?** Schreiben Sie auf.

→ *Yemeği ben pişirdim.*

16 **Besprechen Sie das Ergebnis mit Ihrem Partner.**

→ *Ben dün öğleden önce / …*
Siz ne yaptınız? / Sen ne yaptın? – *Ben …*

17 **Schreiben Sie auf, was Sezen Hanım an einem Tag gemacht hat.**
Verwenden Sie dabei die unten stehenden Angaben.

Sezen Hanımın hayatında bir gün

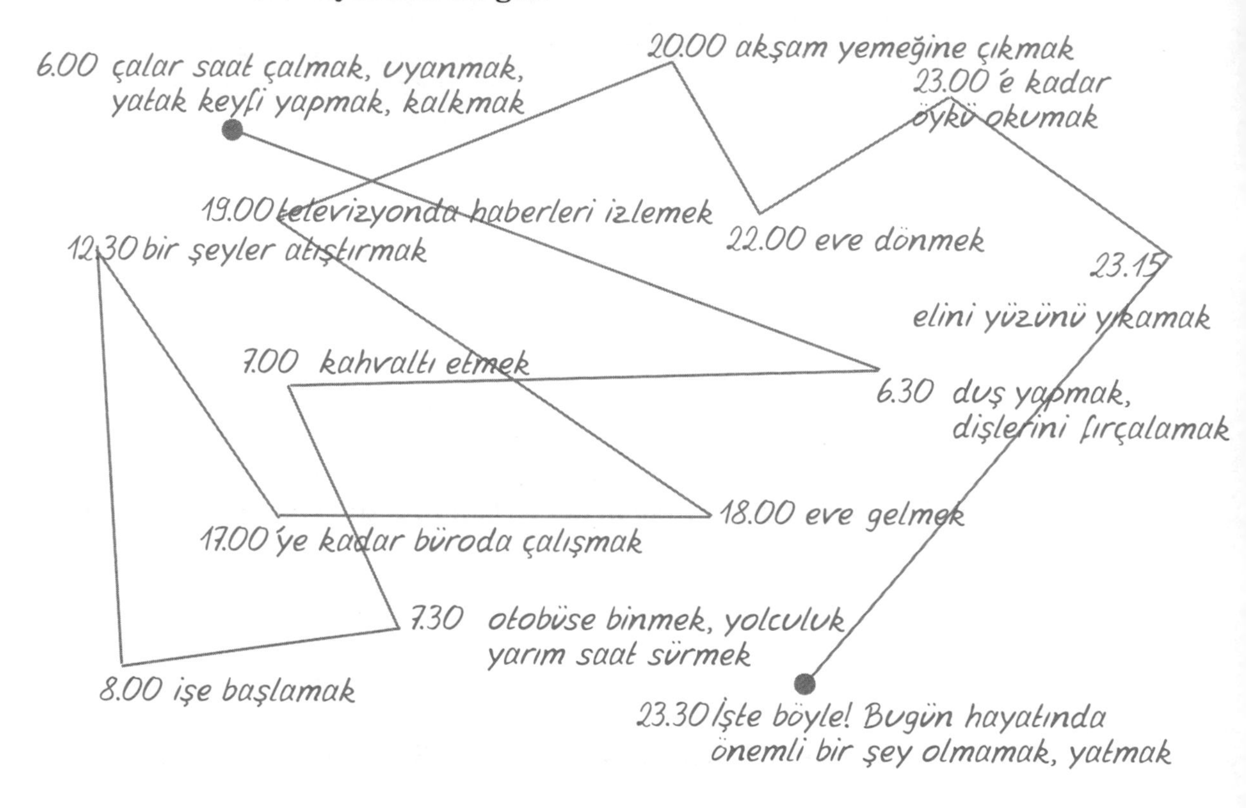

1. *Saat altıda çalar saat çaldı, Sezen Hanım uyandı. Biraz yatak keyfi yaptı, sonra kalktı.*
2. ...

18 **Jetzt sind Sie dran.** Erzählen Sie Ihrem Partner von einem Tag in Ihrem Leben.

1. *Saat ...*
2. ...

DAS HABEN SIE GELERNT

GRAMMATIK

Dün ne yaptınız?	Televizyon izle**dim**.	-di
	Yüz**düm**.	-dü
	Mektup yaz**dım**.	-dı
	Kitap oku**dum**.	-du
	Sinemaya git**tim**.	-ti
		-tü
	Çalış**tım**.	-tı
	Evin anahtarını büroda unut**tum**.	-tu

REDEMITTEL

Ne yaptınız? / Ne yaptın?

Bizi unuttu.

Geçenlerde Dilek'ten kart aldım.
Geçen cuma Tom Türkiye'den döndü.
Geçen hafta sonu çocuklar sirke gitti.

Heidi sana selam söyledi.

Fotoğraf çekmek benim hobim.

Evelyn'den hiçbir haber yok.

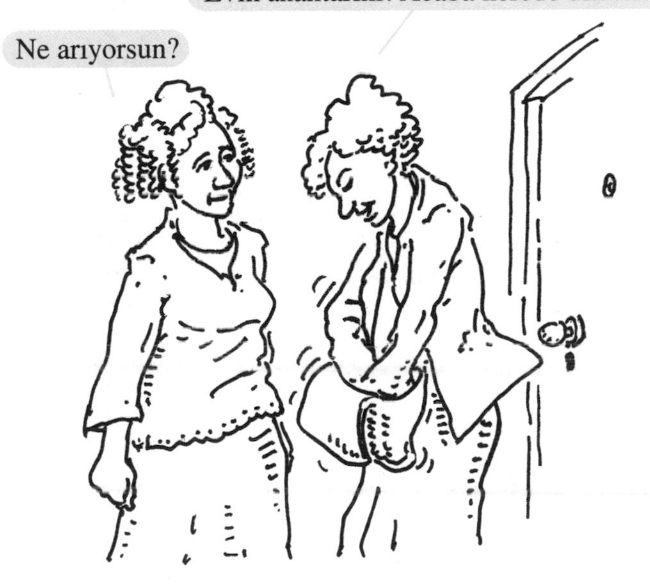
Ne arıyorsun?
Evin anahtarını! Acaba nerede unuttum?

13 DÜN NEREDEYDİNİZ?

WO WAREN SIE GESTERN?

HEUTE UND FRÜHER

1 **Wie sind die abgebildeten Personen heute?** Wie waren sie früher? 

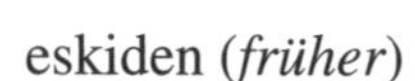

	bugün (*heute*)	eskiden (*früher*)
Perihan Hanım		
Ali Bey		
Temel Kaptan		
Yusuf Bey		

1. Perihan Hanım bugün düzenli, eskiden düzensiz**di**.
2. Ali Bey bugün gözlüklü, eskiden gözlüksüz**dü**.
3. Temel Kaptan bugün sakallı, eskiden sakalsız______
4. Yusuf Bey bugün yorgun değil, eskiden ______________

13 ÜBER VERGANGENES SPRECHEN

2 Bir röportajdan

1.
‘Adım Perihan. Bugün param, arabam, evim her şeyim var. Eskiden hiçbir şeyim yoktu. Ne evim, ne arabam vardı. İşim çoktu. Bir firmada sekreterdim. 58 yaşındayım. Artık çalışmıyorum, emekliyim.’

2.
‘Benim adım Ali, 62 yaşındayım. Bir bankada müdürdüm. İki yıl önce emekli oldum. Yıllar ne çabuk geçti!’

3.
‘Ben çok şey gördüm. Nasıl mı? Kaptandım. Hiç boş zamanım yoktu. Şimdi her gün kahvedeyim. 61 yaşındayım, üç yıl önce emekli oldum. Şey... Adım Temel, Temel Kaptan.’

4.
‘Ben Yusuf. 37 yıl bir lokantada garson olarak çalıştım. Şimdi emekliyim, 59 yaşındayım. Hayatımdan memnun muyum? Tabii memnunum. Eskiden de memnundum. Ama gençlik başka!’

3 Lesen Sie die Reportage und vervollständigen Sie.

1.

Perihan Hanımın	**bugün**	parası	var,	**eskiden**	yoktu.
		______			______
		______			______
		______			______
Temel Kaptan’ın		______			______

2.

Perihan Hanım	**bugün**	emekli,	**eskiden**	sekreterdi.
Ali Bey		emekli,		______
Temel Kaptan		emekli,		______
Yusuf Bey		emekli,		______

4 Wer war gestern wo?

1. 'Ben Güler, dün dişçideydim. Akşam sana telefon ettim. Evde yoktun. Neredeydin?'
2. 'Adım Fatma. Dün öğleden önce işim çoktu, alışveriş yaptım. Öğleden sonra dinlendim. Akşam sinemadaydım.'
3. 'Benim adım Iris, Türkçe öğreniyorum. Dün de kurstaydım. Ulf neden mi gelmedi? Vallahi, bilmiyorum.'
4. 'Dün akşam bize misafir geldi. Bütün aile evdeydik.'
5. 'Ben öğrenciyim. Dün nerede miydim? Tabii Üniversite Kütüphanesi'ndeydim.'

→ 1. Güler dişçideydi.
2. Fatma dün akşam ________________
3. Iris ____________________
4. Aile____________________
5. Öğrenci ______________

5 Wo war Ihr Partner gestern? Schreiben Sie drei Möglichkeiten auf.

1. … 2. … 3. …

6 Jetzt fragen Sie Ihren Partner.

→ *Dün / dün akşam neredeydiniz?* — *Tiyatrodaydım. / Tiyatrodaydık.*
neredeydin? — *Konserdeydim.*

…

→ **Dün neredeydiniz?**

(Ben)	Evde**ydim**. Sinemada**ydım**. Bodrum Lokantası'nda**ydım**.	(Biz)	Evde**ydik**. Sinemada**ydık**. Bodrum Lokantası'nda**ydık**.

7 Wo waren die abgebildeten Personen in den vergangenen Ferien und was haben sie gemacht?

Urs / Antalya

Barbara / Paris

Heinz / Viyana

Serpil & Burcu / Interlaken

konsere gitmek ● kamp yapmak ● sörf yapmak ● dağa çıkmak
Türkçe kursuna katılmak ● müzeleri gezmek

1. Urs ______________________
2. Barbara ______________________
3. Heinz ______________________
4. Serpil'le Burcu ______________________

8 Wo waren Serpil und Urs?

Was haben sie gemacht? Kreuzen Sie die richtige Antwort an.

1. **Serpil**
   - a. İnterlaken'daydı, dağa çıktı.
   - b. Zürih'teydi, müzeleri gezdi.
   - c. Winterthur'daydı, dinlendi.

2. **Urs**
   - a. Çeşme'deydi, gezdi, yelkenli sürdü.
   - b. Alanya'daydı, kamp yaptı.
   - c. Antalya'daydı, kursa katıldı.

9 Was haben sie vielleicht noch gemacht?

→ *Serpil belki …*
…

10 Füllen Sie aus.

Çeşme'deydim. Sörf yaptım.

Tatilde miydiniz?

Siz ne zaman emekli oldunuz?

Fena değildi.

Evet, geçen cuma döndük. ● Tatiliniz nasıl geçti? ● Geçen yıl.
Tatilde neredeydin?

11 Wo war Ihr Partner in den Ferien? Was hat er gemacht? Fragen Sie ihn.

→ *Tatilde neredeydiniz? Ne yaptınız?* – *Tatilde …*
neredeydin? Ne yaptın? – *…*

12 Hayat böyle.

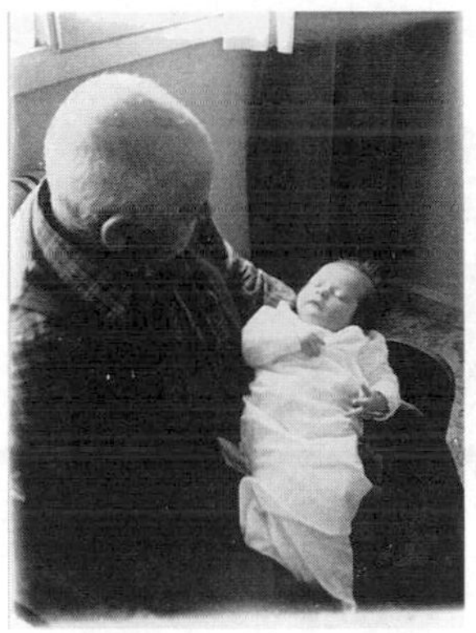

1. Adım Sevgi. 1959'da Ürgüp'te doğdum.

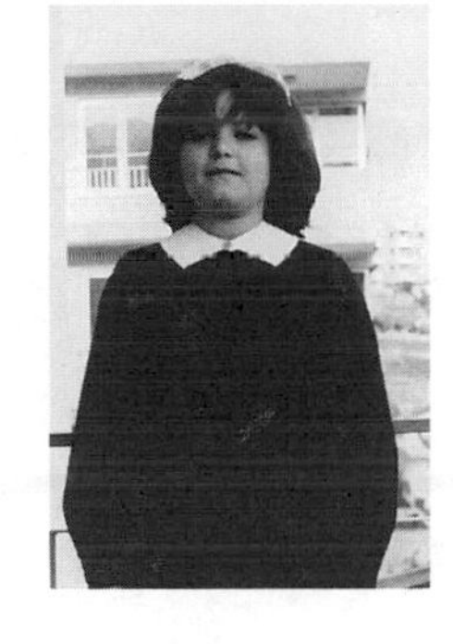

2. 1966'da ilkokula başladım.

3. 1985'te öğretmen oldum.

4. 1987 yılında evlendim.

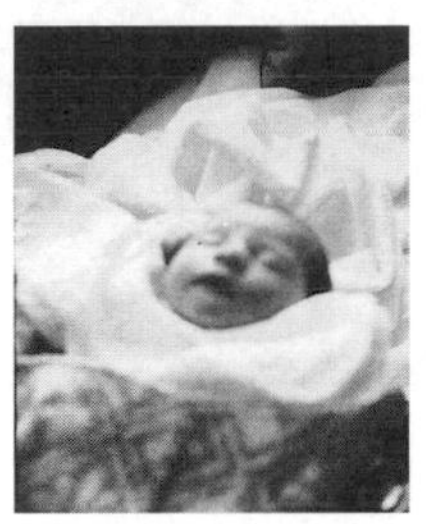

5. 1989'da bir kızım oldu.

6. 1991'de bahçeli bir ev satın aldık.

7. 1993'te eşimden ayrıldım.

13 Schreiben Sie mehrere Behauptungen zum Inhalt des Berichts auf. Lesen Sie sie dann Ihrem Partner vor. Ihr Partner entscheidet, ob sie richtig oder falsch sind.

1. Sevgi Hanım 1959'da Antalya'da doğdu.
2. ...
...

14 Interviewen Sie Ihren Partner über sein Leben.

→ *Ne zaman, nerede doğdunuz / doğdun?* – ...
...

15 Mevsimler

16 Welche Monate sind Frühling, Sommer, Herbst, Winter?

			ilkbahar	yaz	sonbahar	kış
ocak	mayıs	eylül				
şubat	haziran	ekim	______	______	______	______
mart	temmuz	kasım	______	______	______	______
nisan	ağustos	aralık	______	______	______	______

17 Welche Jahreszeit, welchen Monat mag Ihr Partner am liebsten?
Warum? Fragen Sie ihn.

→ *En çok hangi mevsimi / ayı seviyorsunuz / seviyorsun? Niçin?*
– *En çok yazı seviyorum. Çünkü yazın tatile gidiyorum.*
...

Hangi mevsimde?
→ ilkbaharda
yazın
sonbaharda
kışın

13 DAS HABEN SIE GELERNT

GRAMMATIK

Bugün	düzenli,	**eskiden**	düzensiz**di**.
	gözlüklü,		gözlüksüz**dü**.
	sakallı,		sakalsız**dı**.
	yorgun değil,		yorgun**du**.

Dün neredeydiniz?	(Ben) dişçide**ydi**m.
neredeydin?	Tiyatroda**ydı**m.
	Hasır Lokandası'*n*da**ydı**m.
	(Biz) dişçide**ydi**k.
	Tiyatroda**ydı**k.
	Hasır Lokandası'*n*da**ydı**k.

Tatilde neredeydiniz?	(Ben) Çeşme'deydim, yüzdüm.
Ne yaptınız?	(Biz) Çeşme'deydik, yüzdük.

REDEMITTEL

Bugün nasıl, eskiden nasıldı?

Bugün her şeyim var,
eskiden hiçbir şeyim yoktu.
Ne evim, ne arabam vardı.

Dün neredeydiniz?
Evde yoktunuz.

Tatiliniz nasıl geçti?
Tatil çok güzel geçti.

En çok yazı seviyorum.

Tatilde neredeydiniz?
Çeşme'deydik. Her gün yüzdük.

14 BURALARDA PANSİYON VAR MI?

GIBT ES HIER IN DER GEGEND EINE PENSION?

ORTSANGABEN

1 **Kedi nerede?**

masanın **alt**ında

masanın **üst**ünde

masanın **yan**ında

masanın **arka**sında

sepetin **iç**inde

televizyonun **ön**ünde

radyo ile ütünün **ara**sında

2 **Wo ist was?** Vervollständigen Sie.

> → **Nerede?**
> sepet**in** iç**in**de
> televizyon**un** ön**ün**de
> masa**nın** yan**ın**da

1. Postane otelin yakınında.
2. Sinema süpermarketin karşısında.
3. Turizm bürosu otelin altında.
4. Taksi ______________________
5. Tuvalet ______________________
6. Banka ______________________

3 **Was sagt Hasan?** Vervollständigen Sie.

______________________ solda

______________________ ______________________

______________________ ______________________

arkada ● yanda ● solda
karşıda ● sağda ● arada

4 **Wo ist was?** Sie denken an ein Objekt in der Klasse. Die anderen Teilnehmer fragen Sie, wo es ist und finden heraus, was es ist.

→ *Masanın üstünde mi?* – *Evet, masanın üstünde. / Hayır, masanın üstünde değil, altında.*

… …

5 Buralarda pansiyon var mı? 61

- ■ Affedersiniz, buralarda pansiyon var mı?
- ❑ Var. Postaneyi görüyor musunuz?
- ■ Postaneyi mi? Haa... Evet, görüyorum.
- ❑ Postanenin arkasında bir pansiyon var.
- ■ Teşekkür ederim.
- ❑ Bir şey değil.

6 **Was ist richtig?** Kreuzen Sie an.

Affedersiniz, buralarda telefon kulübesi var mı?
Telefon kulübesi

- ☐ 1. eczanenin karşısında.
- ☐ 2. pansiyonun arkasında.
- ☐ 3. postanenin önünde.

7 **Was ist wo?** Hören Sie zu und kreuzen Sie die richtige Antwort an.

1. **Taksiler**
   - ☐ a. tiyatronun önünde.
   - ☐ b. eczanenin arkasında.
   - ☐ c. sinemanın sağında.
2. **Seyahat acentesi**
   - ☐ a. pansiyonun önünde.
   - ☐ b. tiyatronun yanında.
   - ☐ c. dişçinin altında.
3. **Otel**
   - ☐ a. caminin arkasında.
   - ☐ b. eczanenin karşısında.
   - ☐ c. taksilerin solunda.

8 Spielen Sie in Gruppen von drei bis vier Personen die Dialogsituation nach.

→ *Affedersiniz, buralarda / yakında / yakınlarda ... var mı?* – ...
...

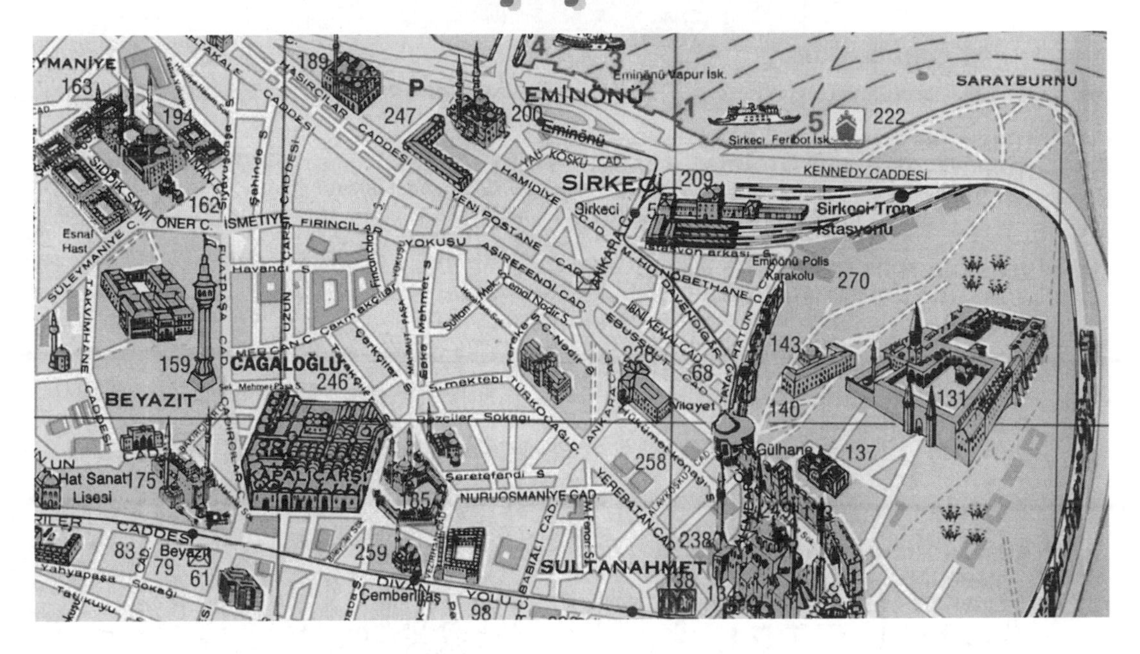

9 Eminönü'nde bir turist

Turist: Affedersiniz, Topkapı Sarayı nerede?
Biri: Şehir planınız var mı?
Turist: Var, buyurun.
Biri: Bakın, biz şimdi Eminönü Meydanı'ndayız. İki yüz metre kadar yürüyün, sonra sola sapın. İşte Hamidiye Caddesi, görüyor musunuz?
Turist: Evet, evet, görüyorum.
Biri: Sirkeci Garı'nı geçin, Gülhane Parkı'na kadar doğru gidin. Topkapı Sarayı Gülhane Parkı'nın içinde.
Turist: Uzak mı?
Biri: Hayır, yayan aşağı yukarı yirmi dakika.
Turist: Yardımınız için teşekkürler. Hoşça kalın.
Biri: Bir şey değil, güle güle.

10 **Schreiben Sie mehrere Behauptungen zum Inhalt des Dialogs auf.** Lesen Sie sie dann Ihrem Partner vor. Ihr Partner entscheidet, ob sie richtig oder falsch sind.

1. *Turist Topkapı Sarayı'na gitmek istiyor.*
...

11 **Wo ist Kapalı Çarşı?** 

Hören Sie die Wegbeschreibung und zeichnen Sie den Weg soweit wie möglich ein.

→ – … metre kadar yürüyün / gidin …
– …-e kadar doğru …
– … sonra / oradan sağa / sola sapın / dönün …
– …-(y)i görüyor musunuz?
– …-(y)i geçin, …
– …-(y)in karşısında /…

sağ	sol / sağ taraf, sol taraf	
alt	karşı	
yan	ön	ara
üst	arka	iç
doğru		

12 **Wo ist was?** Fragen Sie Ihren Partner und finden Sie es heraus.

Partner A: Schauen Sie auf diese Seite.
Partner B: Schauen Sie auf Seite 154.

Partner A: *Sie stehen vor dem Busbahnhof und suchen*
1. İş Bankası, 2. tuvaletler, 3. postane.
Fragen Sie Partner B nach dem Weg.

→ *Affedersiniz, postaneyi / … arıyorum. Acaba …?*
Acaba postane …?
– …

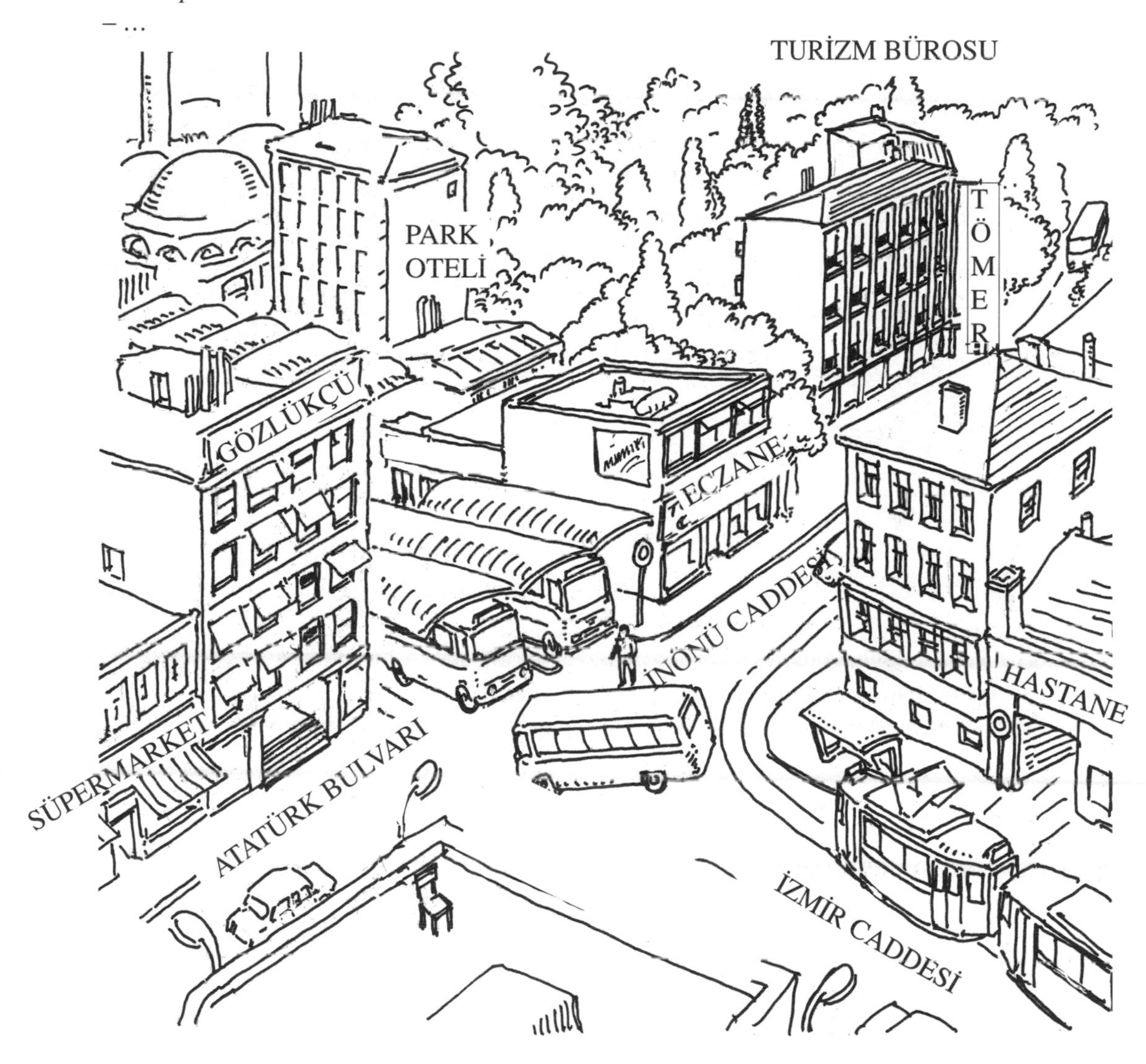

13 Wer wohnt wo?

Lesen Sie die Texte und tragen Sie ein.

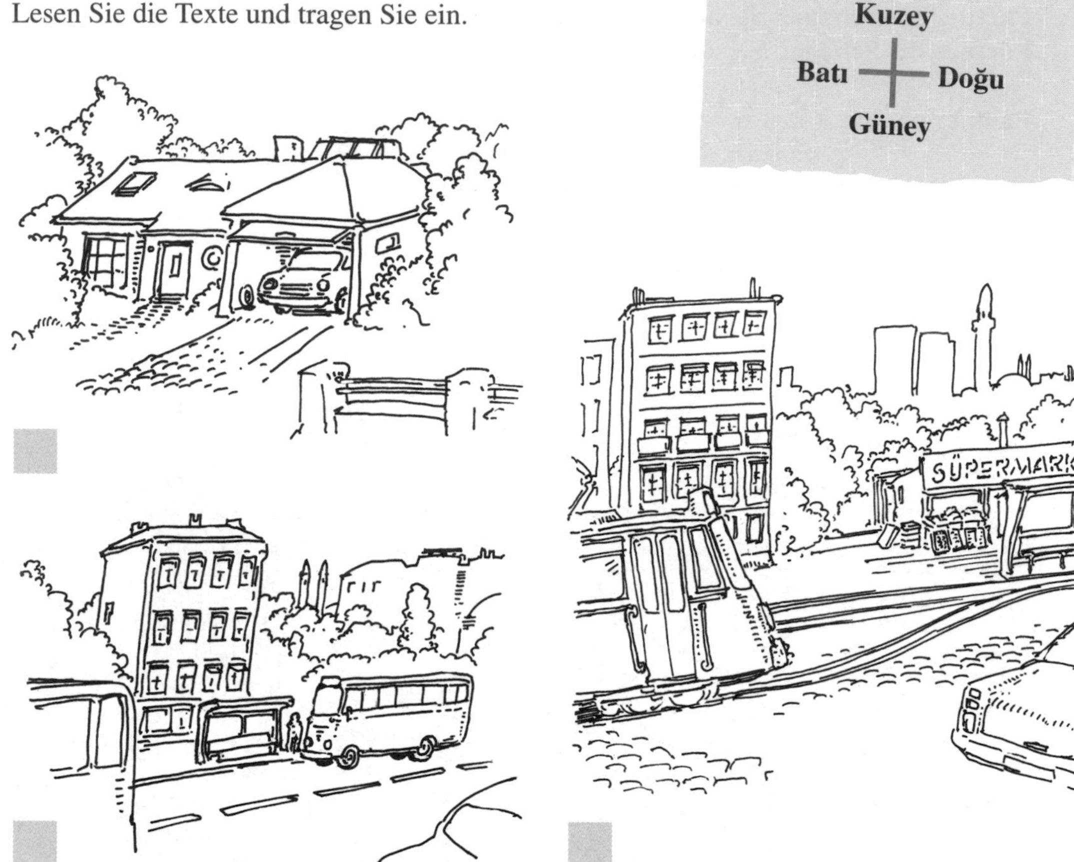

1. ‘Kentin kuzeyinde bir park var. Biz parkın yanında oturuyoruz. Otobüs durağı evimizin karşısında. İşe otobüsle gidiyorum.’
2. ‘Biz kentin doğusunda, merkeze 20 km uzaklıkta bahçeli bir evde oturuyoruz. Arabam var. İşe arabamla gidiyorum.’
3. ‘Ben şehir merkezinde oturuyorum. Evden çıkıyorum, sağa dönüyorum, yüz metre kadar yürüyorum. Sol tarafta bir süpermarket var. Tramvaylar oradan kalkıyor. İşe tramvayla gidiyorum. İşyerim kentin batısında.’

14 **Wo wohnt Ihr Partner?** Fragen Sie ihn danach.

➔ *Nerede oturuyorsunuz / oturuyorsun?*	*– Kentin batısında. / …*
İşyeriniz nerede?	
İşe / … neyle gidiyorsunuz / gidiyorsun?	*– Otobüsle. / …*
…	

DAS HABEN SIE GELERNT

GRAMMATIK

Nerede?

alt	altta	masanın altında	
üst	üstte	masanın üstünde	
arka	arkada	otelin arkasında	
yan	yanda	bankanın yanında	
iç	içte	sepetin içinde	
ön	önde	postanenin önünde	
ara	arada	postane ile sinemanın arasında	
karşı	karşıda	sinemanın karşısında	
sol	solda	sol tarafta	sinemanın solunda / sol tarafında
sağ	sağda	sağ tarafta	sinemanın sağında / sağ tarafında

gel	gör	bak	unut	gelme	unutma
gelsin	görsün	baksın	unutsun	gelmesin	unutmasın
gelin / geliniz	görün / görünüz	bakın / bakınız	unutun / unutunuz	gelmeyin / gelmeyiniz	unutmayın / unutmayınız
gelsin(ler)	görsün(ler)	baksın(lar)	unutsun(lar)	gelmesin(ler)	unutmasın(lar)

REDEMITTEL

Affedersiniz, buralarda bir pansiyon var mı?
Affedersiniz, yakında / yakınlarda bir otel var mı?
Doğru gidin, postaneyi geçin, sol tarafta.
Uzak mı?
Yayan aşağı yukarı on dakika.

Yardımınız için teşekkürler.

Bu yeni evimiz.
Güle güle oturun.

BEN ÇAY İÇEYİM
ICH MÖCHTE EINEN TEE

ESSEN UND TRINKEN

1 **Was essen und trinken Sie zum Frühstück, Mittag- und Abendessen?**

kahvaltıda	öğle yemeğinde	akşam yemeğinde
çay	*çorba*	*salata*
______	______	______
______	______	______
______	______	______

2 Ben çay içeyim.

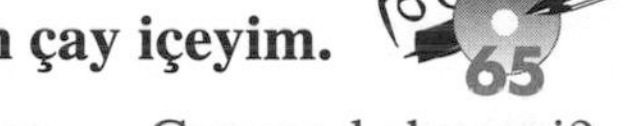

Canan: Çay mı, kahve mi?
Gudrun: Ben çay içmek istiyorum.
Şevket: Ben de çay içeyim.
Canan: Franz, ya sen?
Franz: Ben kahve içeyim.
…
Canan: Biraz daha beyaz peynir?
Gudrun: Alayım.
Franz: Beyaz peynirden ben de almak istiyorum. Çok nefis.
Şevket: Ben de biraz alayım.
Canan: Buyurun, buyurun! Zeytin?
Gudrun: Ben zeytin almayayım.
Franz: Her şey çok nefis, Canan, teşekkürler. Fakat kahvaltıda ben de zeytin yemiyorum.
…

3 Richtig oder falsch?

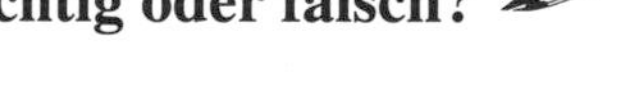

	doğru	yanlış
1. Şevket kahve içiyor.		
2. Franz'la Gudrun kahvaltıda zeytin yemiyorlar.		
3. Gudrun beyaz peynir istemiyor.		
4. Şevket, Gudrun, Franz Canan'nın misafirleri.		

4 Spielen Sie in Gruppen von drei bis vier Personen die Dialogsituation nach.

→ *Çay mı, kahve mi? / …* – *Ben çay içeyim. / …*
Beyaz peynir mi, zeytin mi? – *Ben zeytin alayım. / …*
… …

→ içmek	(Ben) İç**eyim**.	İçme**yeyim**.
almak	Al**ayım**.	Alma**yayım**.

5 Aile çay bahçesine gidelim mi?

İsmail: Alo…
Saadet: İyi akşamlar İsmail, ben Saadet.
İsmail: Merhaba, Saadet.
Saadet: İsmail, bir önerim var: bu akşam aile çay bahçesine gidelim mi? Zamanın var mı?
İsmail: Olur, gidelim. Ama aile çay bahçesi nerede?
Saadet: Bilmiyor musun? Parkın karşısında.
İsmail: Haa… Tamam. Başka kim geliyor?
Saadet: Rahmiye, Inge, belki Kâmil …
İsmail: Güzel. Seni arabamla alayım mı?
Saadet: Gerek yok. Saat sekizde aile çay bahçesinde buluşalım.

6 Schreiben Sie mehrere Behauptungen zum Inhalt des Dialogs auf.

Schreiben Sie mehrere Behauptungen zum Inhalt des Dialogs auf. Lesen Sie sie dann Ihrem Partner vor. Ihr Partner entscheidet, ob sie richtig oder falsch sind.

1. *Saadet arkadaşlarıyla çay bahçesine gitmek istiyor.*

…

7 Formulieren Sie Vorschläge mit den unten stehenden Angaben.

Formulieren Sie Vorschläge mit den unten stehenden Angaben. Tragen Sie sie in kleinen Gruppen vor.

Arkadaşınızla parkta oturmak, çay içmek istiyorsunuz.

→ *Parkta otur**alım** mı? Çay iç**elim** mi?* – *Otur**alım**. / Oturma**yalım**.*
– *İç**elim**. / İçme**yelim**.*

Arkadaşınızla
1. kahve içmek istiyorsunuz.
2. Uta'yı kahvaltıya davet etmek istiyorsunuz.
3. saat sekizde buluşmak istiyorsunuz.
4. yemek pişirmek istiyorsunuz.
5. karnıyarık yemek istiyorsunuz.
6. Inge'yi ziyaret etmek istiyorsunuz.

…

→			
içmek	(Biz) İç**elim** mi?	**Evet**, iç**elim**.	**Hayır**, içme**yelim**.
buluşmak	Buluş**alım** mı?	buluş**alım**.	buluşma**yalım**.

8 **Wer sagt es?** Gast oder Kellner?

M = müşteri G = garson

HESAP
1 bira 60 bin
1 baklava 245 bin
...

Buyurun, arzunuz?

Buyurun hanımefendi, buyurun beyefendi.

Bana bir Urfa kebabı lütfen.

Şarap içelim.

Yemek listesini rica edeyim.

Hayır, ben yoğurt almayayım.

Zeytinyağlılardan ne var?

Karnıyarık alayım, bir de pepsi.

Lütfen orta şekerli bir kahve.

Size baklava vereyim mi?

9 **Was trinken und essen Saadet, İsmail und Rahmiye?**
Hören Sie zu und vervollständigen Sie.

	içecek (Getränk)	çorba (Suppe)	yemek (Essen)	tatlı (Süßspeise)
Saadet				
İsmail				
Rahmiye				

10 **Der Kellner nimmt die Bestellungen entgegen und macht Vorschläge.**
Bilden Sie zwei bis drei Gruppen. Ein Teilnehmer ist der Kellner, die anderen sind die Gäste.

→ *Buyurun, yemek listesi. Arzunuz?* – *Teşekkür ederim. / ...*
...

11 Elinize sağlık!

1. Yemekler nefis! Elinize sağlık!
2. Yemekler enfes! Eline sağlık!
3. Harika!
4. Çok lezzetli!
5. Karnıyarık şahane!
6. Zeytinyağlılara bayılıyorum.
7. Yaprak sarmayı çok beğendim.

1. Afiyet olsun.
2. Ziyade olsun.
3. İltifat ediyorsunuz.
4. Baklavadan biraz daha vereyim mi?

1. Şerefe!
2. Şerefinize!
3. Şerefine!
4. Sağlığınıza!
5. Sağlığına!
6. Haydi, içelim!
7. Haydi, çın çın!

12 Spielen Sie in Gruppen von drei bis vier Personen eine Dialogsituation.

→ *Yemekler nefis, elinize sağlık / ...!*
...

– *Afiyet olsun. Çorbadan biraz daha vereyim mi?*
– ...

DAS HABEN SIE GELERNT

GRAMMATIK

içmek	(Ben)	İç**eyim**.	İçme**yeyim**.	İçeyim mi?	İçmeyeyim mi?
almak		Al**ayım**.	Alma**yayım**.	Alayım mı?	Almayayım mı?
okumak		Oku**yayım**.	Okuma**yayım**.	Okuyayım mı?	Okumayayım mı?
	(Biz)	İç**elim**.	İçme**yelim**.	İçelim mi?	İçmeyelim mi?
		Al**alım**.	Alma**yalım**.	Alalım mı?	Almayalım mı?
		Oku**yalım**.	Okuma**yalım**.	Okuyalım mı?	Okumayalım mı?

REDEMITTEL

Ben çay içeyim / alayım.
Çay yapayım mı?
Biraz daha vereyim mi?

Kahvaltıda buluşalım.
Lokantaya gidelim mi?
Bir önerim var: Yemek pişirelim.

Sinemaya gidelim mi?
Olur.

Gerek yok.

Arzunuz?

Yemekler nefis. Elinize sağlık.
Afiyet olsun.
İltifat ediyorsunuz.

Haydi, içelim!
Şerefe!
Sağlığınıza!

Bu akşam ne yiyoruz?
Karnıyarık, Ömür Lokantası'nda!

LÜTFEN BİR DÖNER
BITTE EINEN DÖNER

IM RESTAURANT

1 **Welche Lebensmittel sind abgebildet?** Kreuzen Sie an.

çay ☐ yaprak sarma ☐ çorba ☐ bira ☐ sütlaç ☐ maden suyu ☐ tavuk ☐
balık ☐ yoğurt ☐ ekmek ☐ şarap ☐ domates ☐ bal ☐ rakı ☐ tereyağı ☐
su ☐ bulgur pilavı ☐ beyaz peynir ☐ salata ☐

2 **Was ist was?** Ordnen Sie zu.

içecekler	yemekler	sebzeler	meyveler	içkiler	çeşitli
çay	*karnıyarık*	*domates*	*şeftali*	*şarap*	*yoğurt*
______	______	______	______	______	______
______	______	______	______	______	______

3 Lütfen bir döner. 68

Tarık:	Garson Bey, bakar mısınız?
Garson:	Buyurun.
Tarık:	Yemek listesini verir misiniz?
Garson:	Hemen efendim.
	…
Garson:	Ne içersiniz?
Özden:	Ben bir domates suyu alayım.
Thomas:	Bir bira lütfen.
Tarık:	Bana bir bardak beyaz şarap.
Garson:	Hayhay efendim.
	…
Garson:	Yemek seçtiniz mi?
Özden:	Evet. Lütfen bir döner.
Garson:	Yanında bulgur pilavı ister misiniz?
Özden:	Olsun.
Garson:	Siz efendim? Siz ne alırsınız?
Thomas:	Ben imambayıldı ve cacık rica edeyim.
Tarık:	Bana sigara böreği, yaprak sarma, barbunya pilakisi.
Garson:	Memnuniyetle.

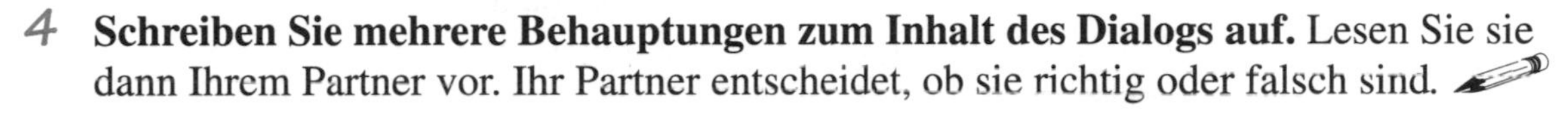

4 Schreiben Sie mehrere Behauptungen zum Inhalt des Dialogs auf.

Lesen Sie sie dann Ihrem Partner vor. Ihr Partner entscheidet, ob sie richtig oder falsch sind.

1. Özden Hanım maden suyu içmek istiyor.
2. …

→			
içmek almak	(Siz) Ne iç**er**siniz? al**ır**sınız?	(Sen) Ne iç**er**sin? al**ır**sın?	
yemek almak	(Siz) Döner ye**r** misiniz? al**ır** mısınız?	Evet, ye**r**im. al**ır**ım.	Hayır, ye**mem**. al**mam**.
	(Ali) Döner ye**r** mi? al**ır** mı?	ye**r**. al**ır**.	yeme**z**. alma**z**.

BODRUM LOKANTASI

Yemek Listesi

Çorbalar
Mercimek çorbası
Domates çorbası
Düğün çorbası

Meze ve Salatalar
Cacık
Sigara böreği
Yaprak sarma
Barbunya pilakisi
Çoban salatası

Yemekler
Karnıyarık
Yoğurtlu ıspanak
İmambayıldı
Bulgur pilavı

Kebap ve Izgaralar
Döner
Izgara köfte
Şiş kebap
Adana kebap

Balıklar

Tatlı ve Meyveler
Baklava
Sütlaç
Kadayıf
Üzüm
Şeftali

İçecekler
Maden suyu
Ayran
Kola
Fanta

İçkiler
Bira
Beyaz şarap
Kırmızı şarap
Rakı

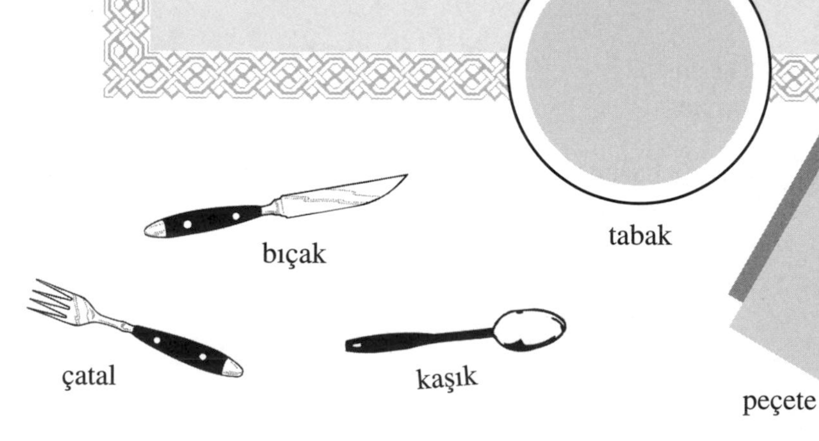

5 Wie lauten die Fragen?

1. ______________________________? Buyurun yemek listesi.
2. ______________________________? Ben kırmızı şarap içeyim.
3. ______________________________? Baklava değil, sütlaç alayım.
4. ______________________________? Buyurun efendim, arzunuz?

6 Was würden Sie sagen?

1. Garsonu istiyorsunuz.
   (garson / bakmak) → *Garson Bey, bak**ar** mısınız?*
2. Yemek listesini istiyorsunuz.
   (Garson / yemek listesi / vermek) ______________________________
3. İki bira istiyorsunuz.
   (Garson / iki bira / vermek) ______________________________
4. Bir döner yemek istiyorsunuz.
   (Garson / bir döner / söylemek) ______________________________
5. Uwe'ye soruyorsunuz.
   (Uwe / kırmızı şarap / içmek) ______________________________
6. Katrin'e soruyorsunuz.
   (sütlaç / almak) ______________________________
7. Barbara'ya soruyorsunuz.
   (Türk kahvesi / istemek) ______________________________

7 Der Kellner nimmt die Bestellung der Gäste entgegen.

Der Kellner nimmt die Bestellung der Gäste entgegen. Bilden Sie zwei bis drei Gruppen. Ein Teilnehmer ist der Kellner, die anderen sind die Gäste.

→ *Garson Bey, bir döner / … verir misiniz? / …* – *Tabii efendim. / …*
Çoban salatası ister misiniz? / …

… …

… …

8 Yemekten sonra

Tarık: Garson Bey, lütfen hesap.
Garson: Beraber mi, ayrı ayrı mı?
Tarık: Beraber.
Garson: Tabii efendim. Yemekleri beğendiniz mi?
Özden: Döner nefisti, pilav da öyle.
Thomas: Türk yemeklerine bayılıyorum. Çok sağlıklı.
Tarık: Evet, ama barbunya konserveydi, değil mi?
Garson: Maalesef öyle. Bu mevsimde taze barbunya bulmak zor.
Tarık: Haklısınız.
Garson: Kahve içer misiniz?
Tarık: Ben sade kahve içerim.
Özden: Ben az şekerli.
Thomas: Benimki orta şekerli olsun.
Garson: Hayhay efendim.
...
Özden: Kahveler ne oldu?
Thomas: Daha hesap da gelmedi.
Tarık: Acele etmeyin, gelir.
...
Garson: Buyurun kahveleriniz, afiyet olsun. Bu da hesabınız efendim.
Tarık: Teşekkür ederiz.

9 **Schreiben Sie mehrere Behauptungen zum Inhalt des Dialogs auf.** Lesen Sie sie dann Ihrem Partner vor. Ihr Partner entscheidet, ob sie richtig oder falsch sind.

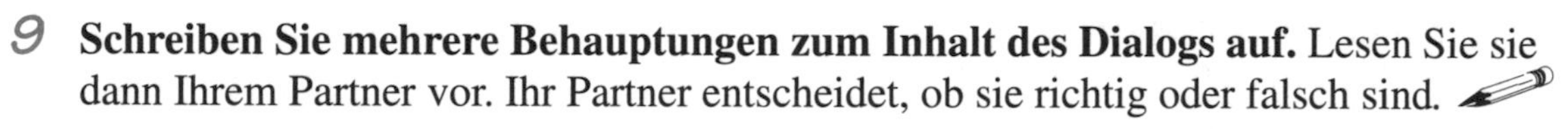

1. Özden imambayıldıyı çok beğendi. 2. ...

10 Was denken Sie über türkische Speisen?

→ *Enfes. ... / Çok beğeniyorum. / ...*

Lezzetli, nefis, harika!
Türk yemekleri hoşuma gidiyor.
Türk yemeklerini beğeniyorum.

sağlıklı, sağlıksız,
acı, sarmısaklı, baharatlı
Hiçbir fikrim yok. /
Tanımıyorum.

çok yağlı
Hoşuma gitmiyor.
Alman yemeklerini
tercih ederim.

11 **Füllen Sie aus.**

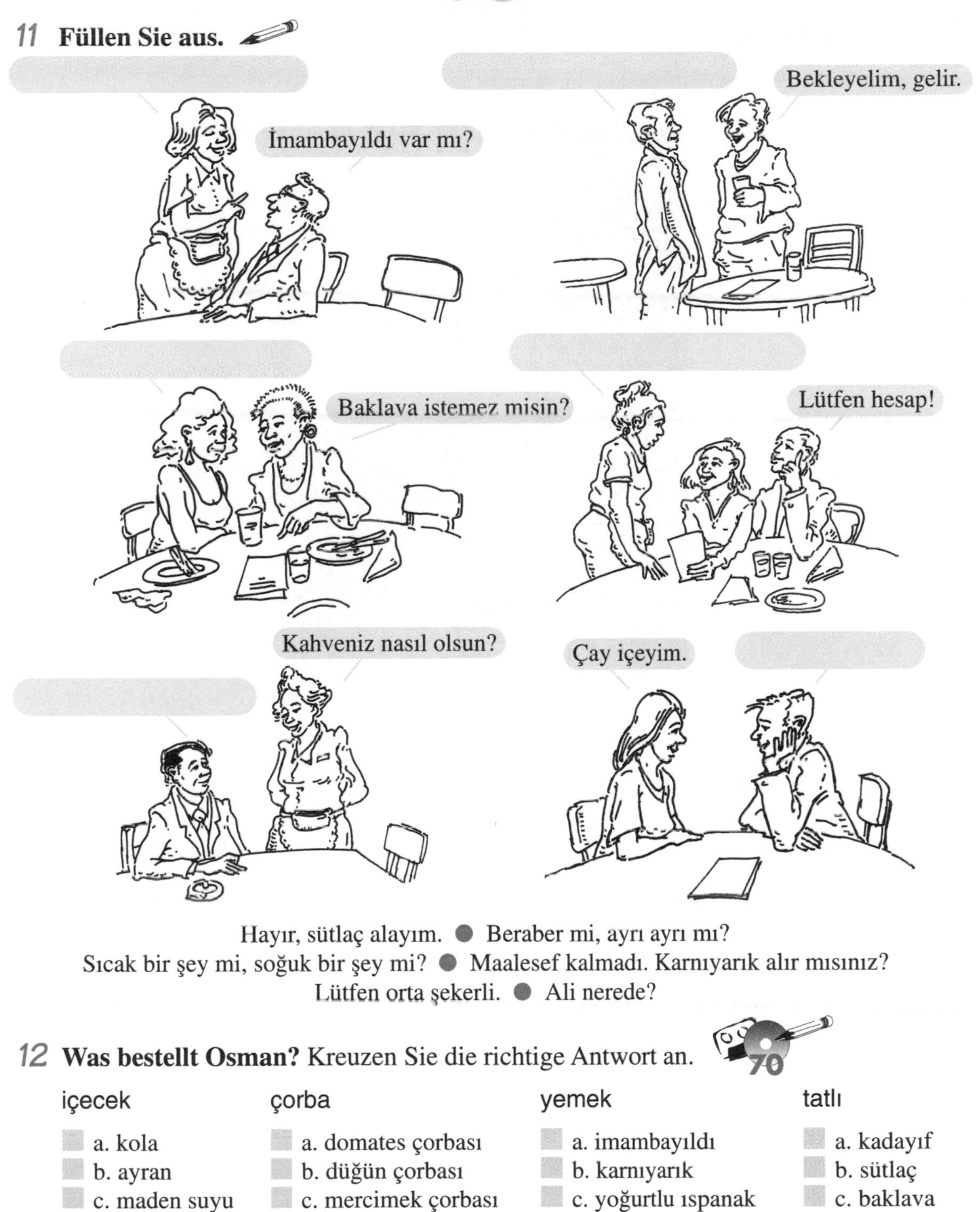

İmambayıldı var mı?
Bekleyelim, gelir.
Baklava istemez misin?
Lütfen hesap!
Kahveniz nasıl olsun?
Çay içeyim.

Hayır, sütlaç alayım. ● Beraber mi, ayrı ayrı mı?
Sıcak bir şey mi, soğuk bir şey mi? ● Maalesef kalmadı. Karnıyarık alır mısınız?
Lütfen orta şekerli. ● Ali nerede?

12 **Was bestellt Osman?** Kreuzen Sie die richtige Antwort an. 70

içecek	çorba	yemek	tatlı
a. kola	a. domates çorbası	a. imambayıldı	a. kadayıf
b. ayran	b. düğün çorbası	b. karnıyarık	b. sütlaç
c. maden suyu	c. mercimek çorbası	c. yoğurtlu ıspanak	c. baklava

13 Ye Kürküm Ye

Bir gün Nasrettin Hoca'yı bir düğün yemeğine davet ederler. Hoca günlük giysileriyle gider. Hocayla kimse ilgilenmez, "Hoş geldin, yemeğe buyur" demezler. Hoca eve gider, kürkünü giyer, düğüne geri gelir. Bu ne itibar! Hoca'yı kapıda karşılarlar, hemen yemeğe buyur ederler. Hoca oturur, kürkünün eteğini tutar ve "Ye kürküm ye, bu itibar bana değil, sana" der.

14 Richtig oder falsch?

	doğru	yanlış
1. Hoca sabah kahvaltısına davetli.		
2. Hoca davete ilk önce günlük giysileriyle gidiyor.		
3. Hoca eve gidiyor ve evde kalıyor.		
4. Hoca eve gidiyor, kürkünü giyiyor ve düğüne geri geliyor.		
5. Kürklü Hoca'yı hemen yemeğe buyur ediyorlar.		
6. Hoca oturuyor, ama yemek yemiyor.		

DAS HABEN SIE GELERNT

GRAMMATIK

	içmek		yapmak	
(Ben)	iç**er**im	iç**mem**	yap**ar**ım	yap**mam**
(Sen)	iç**er**sin	içme**z**sin	yap**ar**sın	yapma**z**sın
(O)	iç**er**	içme**z**	yap**ar**	yapma**z**
(Biz)	iç**er**iz	iç**meyiz**	yap**ar**ız	yap**mayız**
(Siz)	iç**er**siniz	içme**z**siniz	yap**ar**sınız	yapma**z**sınız
(Onlar)	iç**er** / iç**er**ler	içme**z** / içme**z**ler	yap**ar** / yap**ar**lar	yapma**z** / yapma**z**lar

pişirmek		unutmak	
pişir**ir**im	pişir**mem**	unut**ur**um	unut**mam**
pişir**ir**sin	pişirme**z**sin	unut**ur**sun	unutma**z**sın
pişir**ir**	pişirme**z**	unut**ur**	unutma**z**
pişir**ir**iz	pişir**meyiz**	unut**ur**uz	unut**mayız**
pişir**ir**siniz	pişirme**z**siniz	unut**ur**sunuz	unutma**z**sınız
pişir**ir** / pişir**ir**ler	pişirme**z** / pişirme**z**ler	unut**ur** / unut**ur**lar	unutma**z** / unutma**z**lar

REDEMITTEL

Garson Bey, bakar mısınız?
Lütfen bir döner.
İmambayıldı verir misiniz?
Çay içer misiniz? İçerim. / İçeyim.
Tatlı alır mısınız? Alırım. / Alayım.
Teşekkür ederim, tatlı sevmem.

Uwe geldi mi? Hayır, ama gelir.
Türk yemeklerini sever mi?
Sever. / Sevmez. / Belki sever / sevmez.

Nasrettin Hoca bir gün düğün yemeğine gider …

İki saat daha beklerim. Belki gelir.

PEYNİR ALMAYI UNUTMA!
VERGISS NICHT, KÄSE ZU KAUFEN!

AUF DEM MARKT

1 **Was gibt es auf dem Markt?** Ordnen Sie zu.

yumurta
biber
salatalık
soğan
karpuz
kavun
pirinç
maydanoz
havuç
elma
armut
peynir
sabun
ıspanak
cüzdan
demlik
gömlek
çaydanlık
çamaşır tozu
ayakkabı
havlu
pantolon

sebzeler	meyveler	giyecekler	çeşitli
patlıcan	*üzüm*	*pantolon*	*havlu*

2 Was braucht die Familie? 

1. *Aileye yarım kilo pirinç lazım.*
2. ______________________________

...

pirinç
yarım kilo
4 kilo domates
bir demet maydanoz
sabun
2 kilo patlıcan
bir buçuk kilo peynir
çamaşır tozu
10 tane yumurta

alışveriş listesi

3 Evde peynir yok. Peynir lazım. 

Yusuf: Fatma!
Fatma: Efendim?
Yusuf: Ben pazara gidiyorum.
Fatma: Alışveriş listesini aldın mı?
Yusuf: Evet.
Fatma: Peynir almayı unutma.
Yusuf: Olur, unutmam.

4 Spielen Sie die Situation nach.

→ *Uwe!* – *Efendim.*
Ben ... ...

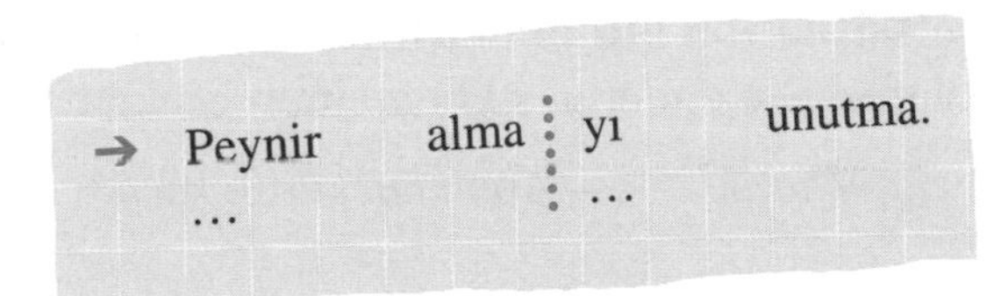

5 **Domatesin kilosu kaç lira?** 72

Satıcı: Buyurun, taze sebzelere buyurun!
Yusuf: Domatesin kilosu kaç lira?
Satıcı: 30 bin lira.
Yusuf: Dört kilo rica edeyim. Patlıcanlar taze mi?
Satıcı: Çok taze. Kaç kilo olsun?
Yusuf: Bir dakika listeye bakayım… İki kilo.
Satıcı: Buyurun. Başka bir şey lazım mı?
Yusuf: Peynir! Peynir lazım.
Satıcı: Yarım kilo yeter mi?
Yusuf: Yetmez. Bir kilo beyaz peynir, yarım kilo da tulum peyniri alayım.
…
Satıcı: Buyurun. Haftaya yine bekleriz.
Yusuf: İnşallah.

6 **Schreiben Sie mehrere Behauptungen zum Inhalt des Dialogs auf.** Lesen Sie sie dann Ihrem Partner vor. Ihr Partner entscheidet, ob sie richtig oder falsch sind.

1. Alıcı alışveriş listesini evde unuttu. 2. …

7 **Wer braucht was?** Hören Sie zu und kreuzen Sie die richtige Antwort an. 73

1. **Markus'a**	2. **Fatma'ya**	3. **Ajda'ya**	4. **Halil'e**
☐ a. peynir	☐ a. cüzdan	☐ a. üzüm	☐ a. soğan
☐ b. sucuk	☐ b. ıspanak	☐ b. ayakkabı	☐ b. çaydanlık
☐ c. elma lazım.	☐ c. biber lazım.	☐ c. havlu lazım.	☐ c. sabun lazım.

8 **Spielen Sie eine Einkaufssituation auf dem Markt nach.** Bilden Sie drei bis vier Gruppen. Einer ist Verkäufer. Die anderen stellen einen Einkaufszettel zusammen.

→ *Buyurun, taze meyvelere / … buyurun!* *– Armudun kilosu kaça?*
…

9 **Wer erzählt?** Ordnen Sie die Texte den Fotos zu.

1.
'Önce ihtiyaç listesi hazırlamam, sonra pazara gitmem, saat dörde doğru kızımı çocuk yuvasından almam, yemek pişirmem lazım. Öteki ev işlerini de unutmamanız lazım.'

2.
'Meslektaşlarım mektup yazar, telefon eder, kahve pişirir, müdüre dosyaları getirir, götürür… Ben de öyle yapıyorum. Müdür saat dokuza doğru geliyor. Benim saat sekiz buçukta büroda olmam lazım.'

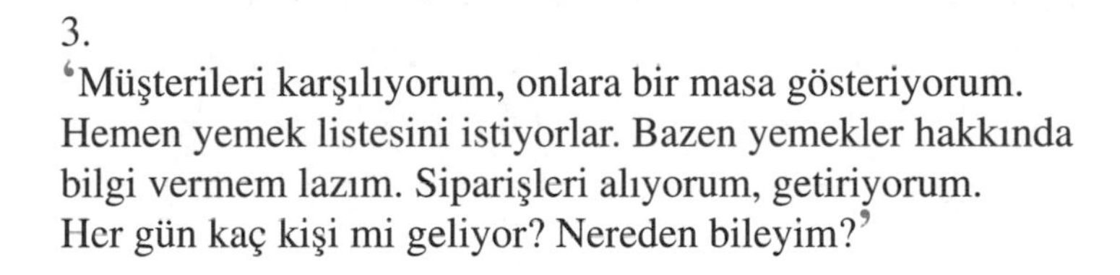

3.
'Müşterileri karşılıyorum, onlara bir masa gösteriyorum. Hemen yemek listesini istiyorlar. Bazen yemekler hakkında bilgi vermem lazım. Siparişleri alıyorum, getiriyorum. Her gün kaç kişi mi geliyor? Nereden bileyim?'

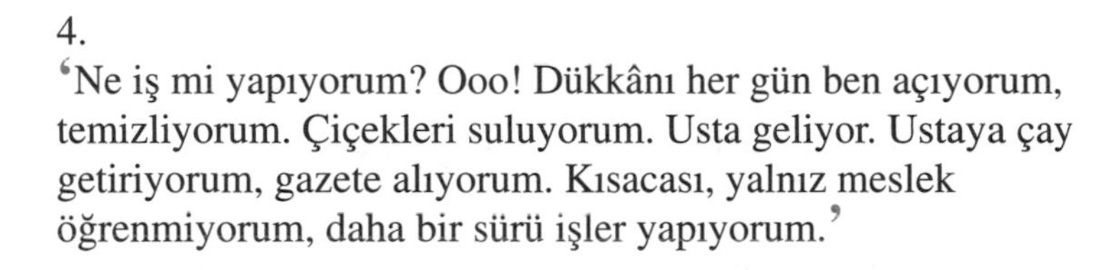

4.
'Ne iş mi yapıyorum? Ooo! Dükkânı her gün ben açıyorum, temizliyorum. Çiçekleri suluyorum. Usta geliyor. Ustaya çay getiriyorum, gazete alıyorum. Kısacası, yalnız meslek öğrenmiyorum, daha bir sürü işler yapıyorum.'

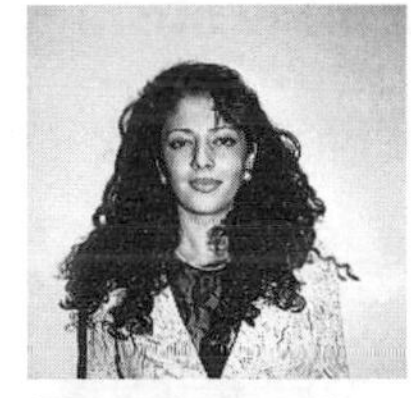

Christine, sekreter

Güngör, çırak

Handan, ev hanımı

Coşkun, garson

10 **Schreiben Sie auf, was die Personen noch machen müssen.**

1. *Christine'nin müdürden önce büroda olması lazım. …*
2. *Güngör'ün dükkânı temizlemesi lazım. …*
3. *Handan'ın pazara gitmesi lazım. …*
4. *Coşkun'un müşterileri karşılaması lazım. …*

(Benim) Pazara	gitme**m lazım**.	(Bizim) Pazara	gitme**miz lazım**.
(Senin)	gitme**n**	(Sizin)	gitme**niz**
(Onun)	gitme**si**	(Onların)	gitme**si** / gitme**leri**

11 Füllen Sie aus.

Yarın akşam sinemaya gidelim mi?

Size başka ne lazım?

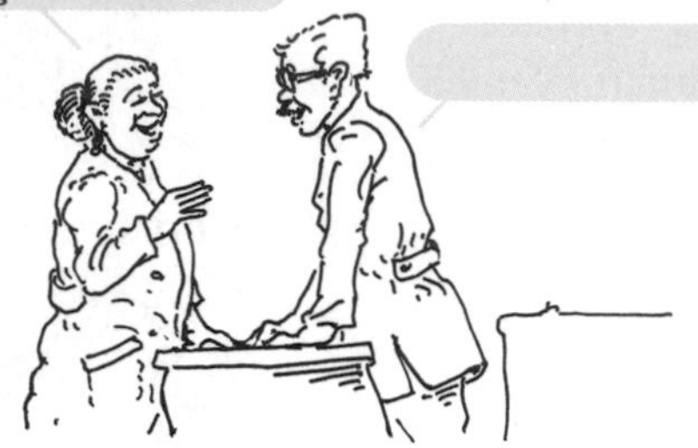

Hayır, değil.

Pazara gidiyorum.

Ispanak almayı unutma. ● İki kilo patlıcan. ● Olmaz, çalışmam lazım.
Size armut lazım mı?

12 Was müssen Hakan, Sevgi und Banu machen?
Hören Sie zu und kreuzen Sie die richtige Antwort an.

1. **Hakan'nın**
   - a. yoğurt alması
   - b. annesini karşılaması
   - c. evde olması lazım.
2. **Sevgi'nin**
   - a. alışveriş yapması
   - b. telefon etmesi
   - c. pazara gitmesi lazım.
3. **Banu'nun**
   - a. mektup yazması
   - b. yemek pişirmesi
   - c. çalışması lazım.

13 Was muss Ihr Partner machen? Jeden Tag, morgen, übermorgen? Fragen Sie ihn und machen Sie sich Notizen auf einem Zettel.

→ *Her gün ne yapmanız / yapman lazım?* – *Her gün yemek pişirmem lazım. / …*
Yarın …
Öbür gün …

14 Tragen Sie vor, was Sie erfahren haben.

→ *Monika'nın her gün işe gitmesi, yemek pişirmesi / … lazım.*
…

15 Alışveriş yapmam lazım. 

Ajda: Alo…

Halil: Merhaba, Ajda. Ben Halil.

Ajda: Merhaba Halil.

Halil: Cumartesi günü ilginç bir konser var. Gidelim mi?

Ajda: Benim alışveriş yapmam lazım.

Halil: Öyleyse salı akşamı buluşalım. Pastaneye gidelim.

Ajda: Mümkün değil. Evde kalmam lazım.

Halil: Ya çarşamba günü?

Ajda: Ben işsiz değilim. Çalışmam lazım.

Halil: Perşembe akşamı olur, değil mi?

Ajda: Olmaz. Yıldız'ı karşılamam lazım. Ankara'dan dönüyor.

Halil: Cuma akşamı nasıl?

Ajda: Teyzemi ziyaret etmem lazım.

Halil: Pazar günü…

Ajda: Pazar günü olur.

Halil: Saat kaçta buluşalım?

Ajda: Dörtte olur mu?

Halil: Benim için uygun. Görüşmek üzere, hoşça kal.

Ajda: Güle güle.

16 Richtig oder falsch?

	doğru	yanlış
1. Halil Ajda'ya konsere gitmeyi öneriyor.	☐	☐
2. Çarşamba günü Halil'in çalışması lazım.	☐	☐
3. Ajda'nın perşembe akşamı Burcu'yu karşılaması lazım.	☐	☐
4. Pazar günü hem Halil hem Ajda için uygun.	☐	☐

17 **Spielen Sie eine ähnliche Situation nach**. Dabei können Sie die unten stehenden Verben verwenden.

Alo!… *– Merhaba …*

…

alışveriş yapmak ● götürmek ● karşılamak ● temizlik yapmak ● çalışmak
ziyaret etmek ● ders çalışmak ● yıkamak ● yazmak ● dinlenmek
yemek pişirmek ● okumak ● gitmek ● jimnastik yapmak

18 Nasıl?

→ küçük
daha küçük
en küçük

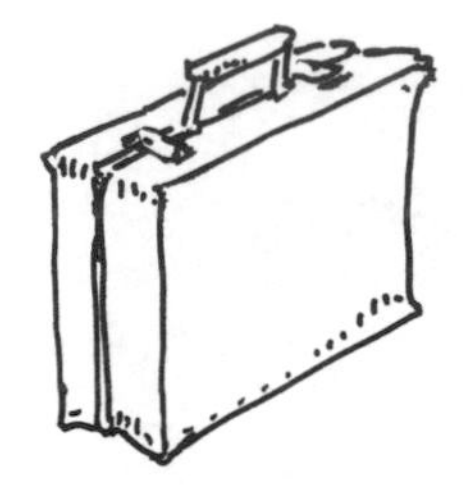

bavul 225 bin lira

çanta 170 bin lira

cüzdan 83 bin lira

1. Bavul küçük. Çanta **daha** küçük. Cüzdan **en** küçük.
2. Çanta bavul**dan** küçük. Cüzdan çanta**dan** ve bavul**dan** **daha** küçük.

19 Vergleichen Sie.

1. Bavul ucuz. Çanta_______________. Cüzdan ___________.
2. Çanta ________________, ama cüzdan _________________________ pahalı.

20 Stellen Sie Vergleiche an.

Verwenden Sie dazu Gegenstände in Ihrem Klassenzimmer oder aus Ihrer Tasche.

kalın

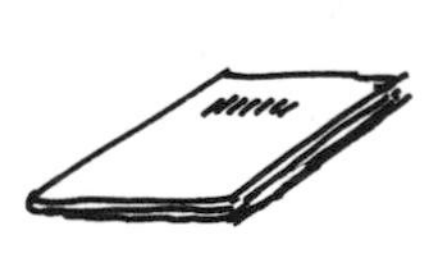

ince

eski

yeni

uzun

kısa

güzel

çirkin

→ *Tahta büyük, kapı daha büyük. / …*

Tükenmezkalemi / … nasıl buluyorsunuz?
buluyorsun?

– Beğendim / Beğenmedim. / …
Çok güzel / …

*Acaba **daha** güzel**i** yok mu?*
*uzun**u** / kısas**ı** / …*

DAS HABEN SIE GELERNT

GRAMMATIK

Kime ne lazım?
Bana para lazım. Size ne lazım?
Bize çaydanlık lazım.
Pınar'a kitap lazım.

Peynir	**alma**	yı	unutma.
…		…	

Halil'in alışveriş **yapma**sı lazım. Pınar'ın **gelme**si lazım.
Ali'nin alışveriş yapması mı lazım? Pınar'ın gelmesi mi lazım?

(Benim) Pazara	gitme**m lazım.**	(Bizim) Pazara	gitme**miz lazım**.
(Senin)	gitme**n**	(Sizin)	gitme**niz**
(Onun)	gitme**si**	(Onların)	gitme**si** / gitme**leri**

Nasıl?
pahalı **daha** pahalı **en** pahalı
Bavul **küçük**. Çanta bavul**dan daha küçük**. Cüzdan **en küçük**.

Bu çok pahalı, **daha** ucuz**u** yok mu?
Bu çok ince, **daha** kalın**ı** yok mu? Bu çok uzun, **daha** kısa**sı** yok mu?

REDEMITTEL

Pazarda neler var?
Domatesin kilosu kaça?

Başka ne lazım? Başka bir şey lazım mı?
Peynir lazım. Peynir almayı unutma.

Alışveriş yapmam lazım.
Hakan'ın telefon etmesi lazım.

Mümkün. Mümkün değil.
Benim için uygun.

Bu çok pahalı. Daha ucuzu yok mu?

Bilmem. / Nereden bileyim?

Her gün okumayı, kaseti dinlemeyi, alıştırmaları yapmayı unutmamamız lazım, değil mi?

18 DOĞUM GÜNÜN KUTLU OLSUN!

ALLES GUTE ZU DEINEM GEBURTSTAG!

GLÜCKWÜNSCHE

1 **Welcher Glückwunsch gehört zu welchem Anlass?** Ordnen Sie zu.

A doğum
B yeni yıl
C düğün
D doğum günü

Doğum günün kutlu olsun. ● Analı babalı büyüsün. / Allah uzun ömür versin.
Mutluluklar dilerim. / Bir yastıkta kocayın. ● Yeni yılınız kutlu olsun. / Nice yıllara.

2 **Was wünscht man zu den folgenden Anlässen?**
Hören Sie zu und kreuzen Sie an.

1. a. Yeni yılın kutlu olsun.
   b. Allah uzun ömür versin.
   c. Mutluluklar dileriz.

2. a. Bir yastıkta kocayın.
   b. Nice yıllara.
   c. Doğum günün kutlu olsun.

3. a. Mutluluklar dileriz.
   b. Doğum günün kutlu olsun.
   c. Yeni yılınız kutlu olsun.

4. a. Doğum gününüz kutlu olsun.
   b. Bir yastıkta kocayın.
   c. Analı babalı büyüsün.

3 Petra'nın doğum günü

Petra & Özgür: Hoş geldiniz, iyi akşamlar.
Renate & Tuğrul: Hoş bulduk. İyi akşamlar.
Petra: Ne güzel çiçekler! Çok teşekkür ederim.
Tuğrul: Bir şey değil.
Özgür: Ne içersiniz? Şampanya vereyim mi?
Renate & Tuğrul: Lütfen!
Renate: Doğum günün kutlu olsun, Petra.
Petra: Sağ ol, Renate.
Tuğrul: Ben de doğum gününüzü kutlarım. Şerefinize!
Petra: Sağ olun Tuğrul Bey. Şerefe!
…
Renate & Tuğrul: Allahaısmarladık.
Petra: Güle güle. Yemek kitabı ve CD için candan teşekkürler.
Renate: Rica ederim, küçük bir hediye. Benim doğum günüm on martta, beklerim.
Petra: Tabii geliriz.

4 Schreiben Sie mehrere Behauptungen zum Inhalt des Dialogs auf.

Lesen Sie sie dann Ihrem Partner vor. Ihr Partner entscheidet, ob sie richtig oder falsch sind.

1. *Misafirler yılbaşını kutluyor.*
2. …

5 Spielen Sie die Situation nach.

Spielen Sie die Situation nach. Bilden Sie zwei bis drei Gruppen. Ein Kursteilnehmer hat Geburtstag, die anderen sind die Gäste.

→ *Hoş geldiniz.* – *Hoş bulduk.*
Çiçekler için … …

6 Ne hediye edebiliriz?

Petra: Gelecek ay birkaç arkadaşa gidiyoruz, biliyorsun.
Özgür: Renate'nin doğum gününe davetliyiz. Başka?
Petra: Rüştü de davet etti, unuttun mu?
Özgür: Sahi, Rüştü'ye de davetliyiz. Martha da yeni bir eve taşındı.
Petra: Onu da ziyaret etmemiz lazım. Hediyesiz olmaz.
Özgür: Haklısın. Ama ne? Kime ne alabiliriz? Kime ne hediye edebiliriz? Benim bir fikrim yok. Senin var mı?
Petra: Benim de yok. Daha zamanımız var, düşünürüz.

→ Ne al**abil**irim / al**abil**iriz?
Ne hediye ed**ebil**irim / ed**ebil**iriz?

7 Richtig oder falsch?

	doğru	yanlış
1. Petra'yla Özgür Renate'nin doğum gününe davetli.		
2. Petra Renate'ye bir çanta hediye etmeyi düşünüyor.		
3. Martha evlendi.		
4. Özgür'le Petra Rüştü'ye gitmek istemiyorlar.		

8 Lesen Sie die folgenden Texte über Renate, Rüştü und Martha.

Alman, Freiburglu. Hafta sonları tenis oynuyor. Kolye takmayı seviyor. Yeni evli, eşi Tuğrul Alanyalı.

27 yaşında, bekâr. Yemek pişirmeyi seviyor. Gitar çalıyor. Sigara içiyor. Boş zamanlarında tiyatroya, diskoteğe gidiyor, tavla oynuyor.

İsviçreli, Türkçe öğreniyor. Ara sıra derse geç geliyor. Türk müziğini seviyor. Salı akşamları jimnastik yapıyor. Yeni bir eve taşındı.

9 **Wem können Özgür und Petra was schenken?** Schreiben Sie einige Möglichkeiten auf und tragen Sie sie dann vor.

1. *Renate'ye kolye hediye edebilirler. Çünkü Renate kolye takmayı seviyor.*
2. *Rüştü'ye* ______________________________
3. *Martha'ya* ______________________________

10 **Vervollständigen Sie.**

	-ebilmek	**-abil**mek	**-eme**mek	**-ama**mak
	GEL**EBİL**MEK	YAZ**ABİL**MEK	GEL**EME**MEK	YAZ**AMA**MAK
(ben)	gel**ebil**irim	yaz**abil**irim	gelemem	yazamam
(sen)	gel**ebil**irsin		gelemezsin	
(o)	gel**ebil**ir	yaz**abil**ir	gelemez	yazamaz
(biz)	gel**ebil**iriz		gelemeyiz	
(siz)	gel**ebil**irsiniz		gelemezsiniz	
(onlar)	gel**ebil**ir / gel**ebil**irler		gelemez / gelemezler	

11 **Füllen Sie aus.**

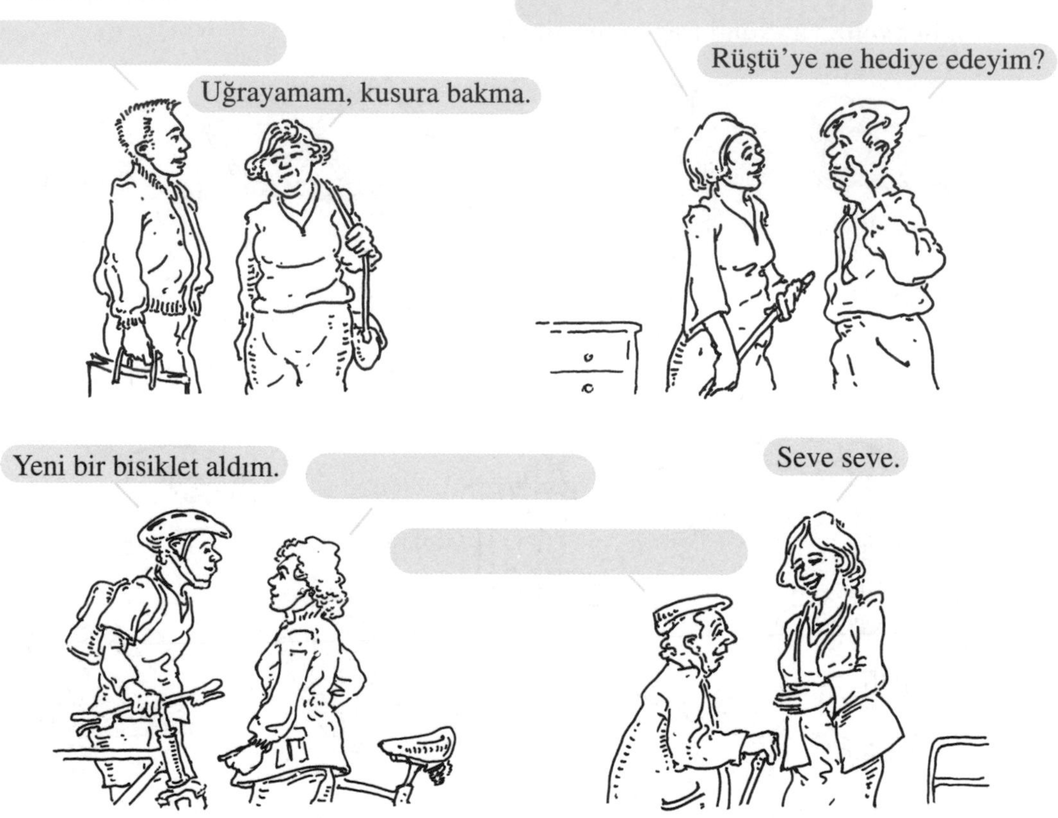
Uğrayamam, kusura bakma.
Rüştü'ye ne hediye edeyim?
Yeni bir bisiklet aldım.
Seve seve.

Çakmak hediye edebilirsin. ● Bana yardım edebilir misiniz?
Güle güle kullan. ● Yarın uğrayabilir misin?

12 **Was kann Banu alles in Antalya machen?** Lesen Sie noch einmal die Postkarte in Lektion 7. Schreiben Sie vier bis fünf Sätze auf und tragen Sie sie dann vor.

1. *Banu yüzebilir.*
2. …
…

13 **Was können Serpil und Hans machen, was nicht?**
Hören Sie zu und kreuzen Sie die richtige Antwort an.

79

1. **Serpil**
   - a. sinemaya gidemez. Renate'nin doğum gününe davetli.
   - b. gidebilir, zamanı var.

2. **Hans**
   - a. Erika'ya yardım edebilir.
   - b. yardım edemez.

14 Was kann Ihr Partner oder was kann er nicht? Fragen Sie ihn und machen Sie sich Notizen auf einem Zettel.

→ *Sörf yapabilir misiniz / yapabilir misin? / …* *– Evet, yapabilirim.*
– Hayır, yapamam.

…

15 Berichten Sie über das, was Sie erfahren haben.

→ *Claudia …*

…

16 **Was sind das?** Tragen Sie ein.

Kathrin ile Tayfun'un

nikâh törenlerinde sizleri de aramızda görmekten mutluluk duyarız.

Gök ve Müller aileleri

Tarih: 23 Ağustos 1997, Cumartesi
Saat: 14.30
Yer: Karşıyaka Belediyesi
Evlendirme Dairesi
İZMİR

Şeker bayramınızı kutlar, sağlık, mutluluk ve işlerinizde başarılar dileriz.

Ceyhan ailesi

Doğum gününü candan kutlar, esenlikler dilerim.

Malin

Yeni yılınızı kutlar, sağlık, esenlik ve mutluluklar dilerim.

Sandra

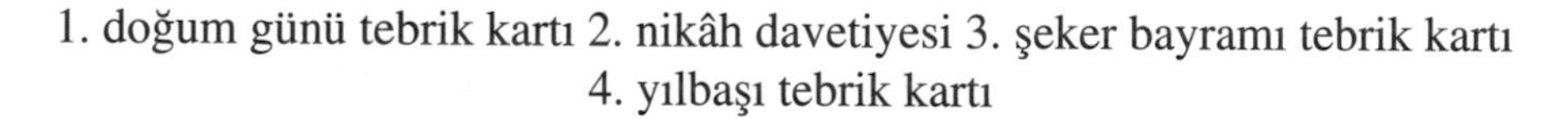

1. doğum günü tebrik kartı 2. nikâh davetiyesi 3. şeker bayramı tebrik kartı 4. yılbaşı tebrik kartı

17 **Schreiben Sie drei Glückwunschkarten:** eine zur Trauung an ein Ehepaar, eine zu Silvester an einen engen Freund und eine zum Geburtstag an eine Person, mit der Sie sich siezen.

18 DAS HABEN SIE GELERNT

GRAMMATIK

-ebilmek / **-abil**mek		**-eme**mek / **-ama**mak
Gel**ebil**ir misiniz? Gelebilir misin?	Evet, gel**ebil**irim / gelebiliriz. gelebilirim.	Hayır, gelemem / gelemeyiz. gelemem.
Yaz**abil**ir misiniz? Yazabilir misin?	Evet, yaz**abil**irim / yazabiliriz. yazabilirim.	Hayır, yazamam / yazamayız. yazamam.

Renate'ye ne hediye edebilirim? — Kolye hediye edebilirsiniz. / edebilirsin.

Bu akşam ne yapabiliriz? — Sinemaya gidebiliriz.

Sigara içebilir miyim? — Evet, içebilirsiniz. / Hayır, içemezsiniz.

Yarın sergiye gidiyoruz. — Ben de gelebilir miyim? / Biz de gelebilir miyiz?

Bana yardım edebilir misiniz? — Evet, yardım edebilirim. / Hayır, yardım edemem.

Acaba film nasıl? — Güzel olabilir.

REDEMITTEL

Doğum günün kutlu olsun.
Yeni yılınız kutlu olsun.
Başarılar dilerim.
Bir yastıkta kocayın.
Allah uzun ömür versin.

Doğum günüm on martta.

Bir fikrin var mı?

Bu akşam telefon edebilir misin?
Bir şey rica edebilir miyim?
Sigara içebilir miyim?

Nice yıllara!

19 EVİMİZ DÖRT ODALI

UNSERE WOHNUNG HAT VIER ZIMMER

WOHNEN

1 **Welche Beschreibung passt zu welcher Abbildung?** Tragen Sie ein.

1. apartman	Apartman birkaç katlıdır. Her katta bir ya da birkaç daire vardır.
2. siteler	Sitelerde birçok apartman bulunur. Siteleri daha çok büyük şehirlerde görüyoruz.
3. bahçeli evler	Bu evlerin bahçeleri vardır, genellikle tek katlıdırlar.
4. yazlıklar	Genellikle deniz kenarlarındadır. Aileler bu evleri hafta sonları ve yazın kullanırlar.

2 Lesen Sie den folgenden Text und tragen Sie die Bezeichnungen für die Zimmer ein.

'Bahçeli bir evde oturuyoruz, dört odamız var. Giriş geniş. Eşimin çalışma odası hemen solda. Nasıl mı görünüyor? Hiç sormayın! Her zaman düzensiz. Yanıda mutfak. Mutfakta hem yemek pişiriyor, hem yemek yiyoruz. Çocuk odası da oldukça büyük. Tuvalet ve banyo çok modern. Oturma odamız uzun, aydınlık. Sağında yatak odamız, gürültüsüz. Sizin eviniz nasıl? Bahçeli bir evde mi yoksa bir dairede mi oturuyorsunuz? Kaloriferli mi, sobalı mı? Kaç odanız var?'

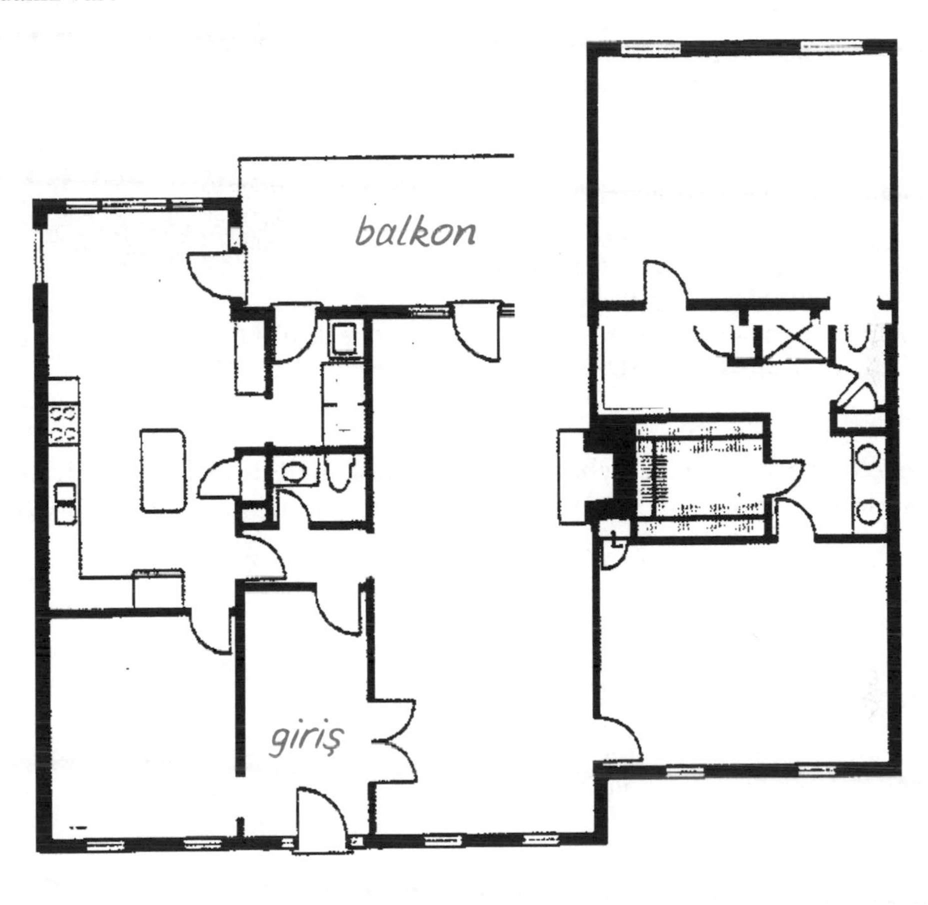

→	büyük küçük	geniş dar	aydınlık karanlık	gürültüsüz gürültülü	kaloriferli sobalı

3 Bu siteden taşınmak niyetindeyiz.

-mek / -mak niyetindeyim
niyetindeyiz

İnci: İyi günler Gülşen.
Gülşen: İyi günler İnci. Nasılsın?
İnci: Çok sağ ol, iyiyim. Ya sen nasılsın?
Gülşen: Şöyle böyle. Ev arıyoruz, bulamıyoruz.
İnci: Ne? Taşınmak mı istiyorsunuz?
Gülşen: Evet, taşınmak niyetindeyiz. Dairemiz dört kişilik bir aile için biraz küçük. Site de çok gürültülü. Sizin eviniz ne geniş, ne aydınlık!
İnci: Evet, ama kirası da yüksek.
Gülşen: Sahi, ne kadar kira ödüyorsunuz?
İnci: Aşağı yukarı iki bin beş yüz euro.
Gülşen: Yakıt parası dahil mi?
İnci: Hayır, yakıt masrafı hariç.
Gülşen: Çok pahalı. Biz bu kadar kira ödeyemeyiz.
İnci: Nasıl bir ev arıyorsunuz?
Gülşen: Dört odalı, kaloriferli, bahçeli bir ev. Daire de olabilir, ama gürültüsüz bir caddede. En çok 1000 euro kira verebiliriz, yakıt dahil.

4 Schreiben Sie mehrere Behauptungen zum Inhalt des Dialogs auf.
Lesen Sie sie dann Ihrem Partner vor. Ihr Partner entscheidet, ob sie richtig oder falsch sind.

1. İnci Hanımlar dört odalı bahçeli bir evde oturuyor. 2. …
…

5 Wie wohnt Ihr Partner? Fragen Sie ihn.

→ *Nasıl bir evde / dairede oturuyorsunuz / oturuyorsun?* – *Bir dairede / …*
Eviniz / … kaç odalı? Aydınlık mı? / … …
…

6 Was haben sich Antje und Zafer vorgenommen?
Hören Sie zu und kreuzen Sie die richtige Antwort an.

1. **Antje**
- a. iki odalı bir daire almak
- b. bahçeli bir ev almak
- c. evinden taşınmak niyetinde.

2. **Zafer**
- a. Çeşme'de oturmak
- b. Çeşme'de tatil yapmak
- c. Çeşme'de yazlık almak niyetinde.

7 **Lesen Sie folgende Anzeigen von Miets- und Eigentumswohnungen.** Vervollständigen Sie daraufhin die Tabelle auf einem gesonderten Blatt.

Kiralık, Satılık Ev ve Daire İlanları

1.
AKLAN EMLAK'TAN
Oyak Sitesi'nde (Ankara) üç odalı, kaloriferli, asansörlü daire, 80 m², kiralıktır, 20 milyon, Tel. 625781

2.
KİRALIK YAZLIK
Çeşme'de, plaja 300 metre, 4 oda, bir salon, tripleks, 140 m², alafranga tuvalet, çift banyolu, sobalı, aylık kira 50 milyon, Tel. 2324075

3.
KİRALIK DAİRE
Göttingen'de iki oda, bir salon, 72 m², yakıt dahil 565 €, Tel. 496923

4.
ALANYA'da satılık yazlık – kışlık konut, 85 m², denize sıfır, 2 oda, salon, mutfak, banyo, teras, sobalı 56.000,- €, Tel. 581568

5.
BAHÇELİ EV 4 oda, Köln, kaloriferli, çift banyolu, modern mutfak, 125 m², sahibinden kiralıktır. Yakıt dahil 975 €, Tel.1311613

6.
İZMİR'de 3 oda 1 salon 110 m², deniz manzaralı lüks daire acele satılıktır. 53.000 €, Tel. 4527699

Nr.	Nerede?	Kaç oda?	Kaç metrekare? Asansörlü mü?	Kaloriferli, sobalı	Kirası veya fiyatı
1.	Oyak Sitesi'nde, Ankara	3	80 m²	kaloriferli	kirası 20 milyon
2. …					

8 **Welches Haus, welche Wohnung würde Gülşen Hanım mieten, welches oder welche nicht?** Fragen Sie Ihren Partner.

→ *Gülşen Hanım hangi evi / … tutar?* – *Gülşen Hanım … tutar. Çünkü*
tutmaz? – …

9 **Was hat Ihr Partner am kommenden Wochenende / in den nächsten Ferien vor?** Fragen Sie ihn.

→ *Taşınmak niyetinde misiniz?* – *Evet, taşınmak niyetindeyim. / Hayır, …*
niyetinde misin? – …
Tatilde ne yapmak niyetindesiniz? – …

10 Pazar günü taşınacağız 

Gülşen: Alo, buyurun.
İnci: İyi günler Gülşen. Ben İnci. Nasılsın?
Gülşen: İyiyim, ama…
İnci: Hayrola? Ne var?
Gülşen: Eşyaları topluyorum.
İnci: Eşyaları mı topluyorsun? Niçin? Yoksa ayrılıyor musunuz?
Gülşen: Yok canım! Pazar günü taşınacağız. Biliyorsun, altı aydan beri ev arıyoruz.
İnci: Biliyorum, altı aydır ev arıyorsunuz.
Gülşen: Nihayet bahçeli bir ev bulduk ve kiraladık.
İnci: Nerede?
Gülşen: Parka yakın.
İnci: Çok sevindim. Gülşen, telefon etmemin sebebi şu: İbrahim Beyler bu akşam bize oturmaya gelecekler. Siz de gelin.
Gülşen: Nasıl gelelim? Daha kitapları yerleştireceğiz. Üstelik çok yorgunum.
İnci: Haklısın. İnşallah başka bir zaman. Hoşça kal.
Gülşen: Sen de hoşça kal.

altı ay**dan beri**
altı ay**dır**

11 Schreiben Sie mehrere Behauptungen zum Inhalt des Dialogs auf.

Schreiben Sie mehrere Behauptungen zum Inhalt des Dialogs auf. Lesen Sie sie dann Ihrem Partner vor. Ihr Partner entscheidet, ob sie richtig oder falsch sind.

1. *Gülşen Hanımlar bahçeli bir eve taşınacaklar.*
2. …

GELECEK ZAMAN

	GELMEK	GELMEMEK	TAŞINMAK	TAŞINMAMAK
(ben)	gel**eceğ**im	gelme**yeceğ**im	taşın**acağ**ım	taşınma**yacağ**ım
(sen)	gel**ecek**sin	gelme**yecek**sin	taşın**acak**sın	taşınma**yacak**sın
(o)	gel**ecek**	gelme**yecek**	taşın**acak**	taşınma**yacak**
(biz)	gel**eceğ**iz	gelme**yeceğ**iz	taşın**acağ**ız	taşınma**yacağ**ız
(siz)	gel**ecek**siniz	gelme**yecek**siniz	taşın**acak**sınız	taşınma**yacak**sınız
(onlar)	gel**ecek**(ler)	gelme**yecek**(ler)	taşın**acak**(lar)	taşınma**yacak**(lar)

12 Füllen Sie aus.

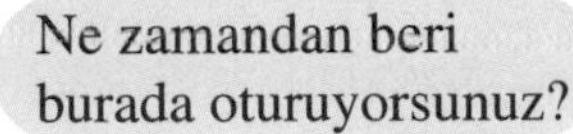
Ne zamandan beri
burada oturuyorsunuz?

Öbür gün.

Özlem Hanım, nereye?

Yeşim nerede?

Dört yıldır. ● Köşede kiralık bir ev var. Ona bakacağım.
Evde. Telefon etti, gelmeyecek. ● Yeni dairenize ne zaman taşınacaksınız?

13 Was wird Murat machen? Was wird Amely machen?

Hören Sie zu und kreuzen Sie die richtige Anwort an.

83

1. **Murat**
   - a. iki buçuk odalı, sobalı
   - b. iki odalı, kaloriferli
   - c. iki odalı, sobalı bir daireye bakacak.

2. **Amely** yeni evine
   - a. gelecek ay
   - b. iki hafta sonra
   - c. gelecek pazar taşınacak.

14 Was steht auf dem Terminkalender Ihres Partners für diese / nächste Woche?

Fragen Sie ihn.

→ *Pazartesi akşamı / … ne yapacaksınız? / yapacaksın?* — *Jimnastik yapacağım. / …*

Bir arkadaşınızla buluşacak mısınız? — *Evet / Hayır …*

ORDINALZAHLEN

15 **Yalçın Beyler birinci katta oturuyor.**

12 on iki	…
11 on bir	on birinci
10 on	onuncu
9 dokuz	dokuzuncu
8 sekiz	sekizinci
7 yedi	yedinci
6 altı	altıncı
5 beş	beşinci
4 dört	dör**d**üncü
3 üç	üçüncü
2 iki	ikinci
1 bir	birinci

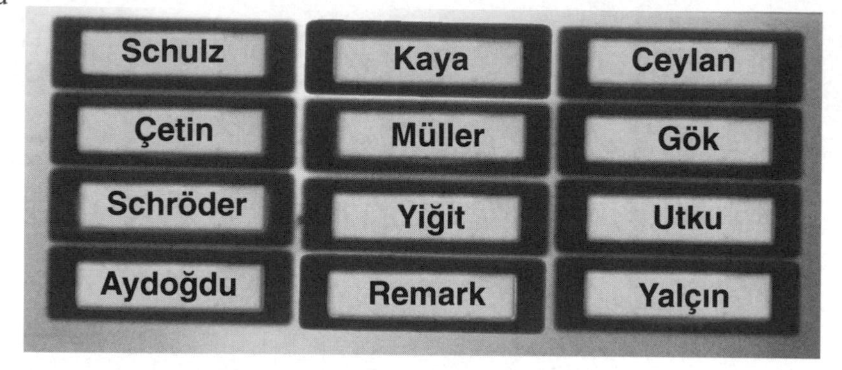

16 **Wer wohnt wo?** Machen Sie sich Notizen auf einen Zettel.

→ *1. Müller ailesi üçüncü katta oturuyor.*
2. Aydoğdu ailesi …
…

17 **Wo wohnt Ihr Partner?** Im wievielten Stock? Seit wann? Fragen Sie ihn.

→ *Nerede oturuyorsunuz?* — *– Ben / Biz …*
Kaçıncı katta?
Ne zamandan beri?

→ Mehmet Çetin
1879. Sokak, No: 21,
Gökhan Apartmanı
Kat 4, Daire 8
35530 Karşıyaka / İZMİR

DAS HABEN SIE GELERNT

GRAMMATIK

-dir	Apartman birkaç katlı**dır**.	Bu ev satılık**tır**. Üç gün**dür** buradayım.
niyet	Taşınmak niyetindeyim. niyetindesin. niyetinde. niyetindeyiz. niyetindesiniz. niyetinde(ler).	Taşınmak niyetinde değilim.

-ecek	Ben gideceğim. Siz gidecek misiniz, gitmeyecek misiniz?
-acak	Ben evi tutacağım. Siz evi tutacak mısınız, tutmayacak mısınız?

Kaçıncı?

1. birinci	2. ikinci	3. üçüncü	4. dör**d**üncü	5. beşinci
6. altıncı	7. yedinci	8. sekizinci	9. dokuzuncu	10. onuncu

REDEMITTEL

Bu daire kiralıktır.
Evimiz iki oda bir salon.
Kaloriferli mi, sobalı mı?
Evin kirası kaç euro?
Yakıt dahil mi, hariç mi?

Taşınmak niyetindeyim.
Ne zaman taşınacaksınız?
Hiç sormayın!
Ne zamandan beri?
Üç aydan beri.
İki haftadır.
Kaçınçı katta oturuyorsunuz?
Dördüncü katta oturuyoruz.

ERDAL İSTANBUL'A GİTMİŞ

ERDAL IST NACH ISTANBUL GEFAHREN

MÖBEL UND HAUSHALTSGERÄTE

1 **Was steht in welchem Raum?** Schreiben Sie.

1. koltuk takımı
2. sandalye
3. bulaşık makinesi
4. buzdolabı
5. elbise dolabı
6. karyola
7. sehpa
8. askılık
9. ayna
10. yazı masası
11. lamba
12. halı
13. çamaşır makinesi
14. kitap rafı
15. elektrikli süpürge
16. fırın
17. kap kacak

1. Kitap rafı çalışma odasında. 2. ...

2 Erdal İstanbul'a gitmiş. 85

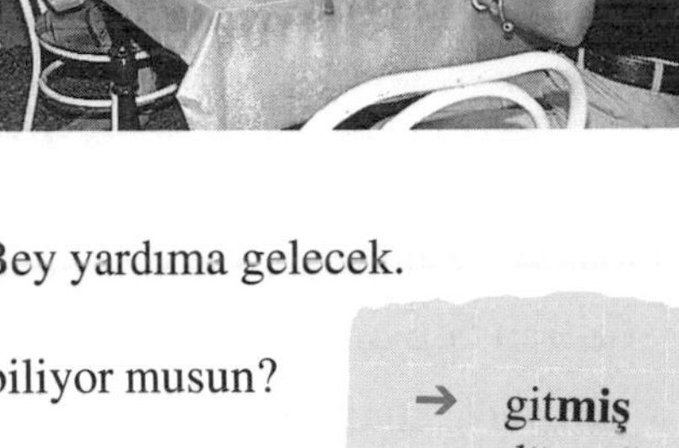

Ünal: Gülşenciğim.
Gülşen: Efendim?
Ünal: Eşe dosta sordun mu?
Gülşen: Neyi?
Ünal: Taşınma işinden söz ediyorum.
Gülşen: Haa! Tarkan'a telefon ettim.
Yardım için söz verdi.
Ünal: Erdal'la Ebru?
Gülşen: Erdal İstanbul'a gitmiş.
Ünal: Ne? Erdal İstanbul'a mı gitmiş?
Gülşen: Evet, iki gün önce. Ebru yardım edecek.
Ünal: Ya Murat Beyler?
Gülşen: Onlara misafir gelmiş. Buna rağmen Murat Bey yardıma gelecek.
Ünal: Mustafa izinden dönmüş mü?
Gülşen: Hayır, daha dönmemiş. Bir de kim gelecek, biliyor musun?
Ünal: Nereden bileyim?
Gülşen: Çetin!
Ünal: Buna çok sevindim.

→ git**miş**
dön**müş**
yaz**mış**
oku**muş**

3 Richtig oder falsch?

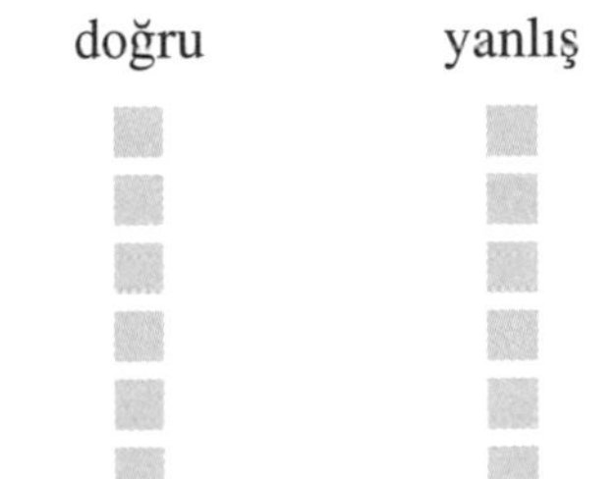

	doğru	yanlış
1. Ünal'la Gülşen taşınma işini konuşuyorlar.		
2. Gülşen Hanım Tarkan'a telefon etmiş.		
3. Tarkan söz vermemiş.		
4. Erdal Ankara'ya gitmiş.		
5. Ebru yardıma gelemeyecek. Çünkü misafir gelmiş.		
6. Mustafa izinden dönmüş.		

4 Spielen Sie die Dialogsituation in kleinen Gruppen nach.

→ *Arkadaşlara sordunuz / sordun mu?* *– Neyi?*
Taşınma işini. *– Haa! … / …*

5 Was haben Familie Güzin, Familie Hatice und ein Freund von Herrn Uğur gemacht? Hören Sie zu und kreuzen Sie die richtige Antwort an.

1. **Güzin Hanımlar**
   - a. daha taşınmamışlar.
   - b. geçen hafta sonu taşınmışlar.

2. **Hatice Hanımlar**
   - a. ev bulmuşlar.
   - b. nihayet bir ev satın almışlar.

3. **Uğur'un arkadaşı**
   - a. izne gitmiş.
   - b. izinden dönmüş.

6 Bütün gün neler yapmadım!

'Sabah erken kalktım. Gazete, taze ekmek aldım. Kahvaltı ettik. Saat dokuzda evden çıktım. Önce bir kamyonet kiraladım. Oradan doğru mobilyacıya gittim, yeni bir yazı masasıyla bir sandalye sipariş ettim. Sonra kahveye uğradım, arkadaşlarla tavla oynadım. Saat altıya doğru eve döndüm. Akşam kahvaltısında taşınma işini bir daha görüştük.'

7 **Lesen Sie den Text und machen Sie sich Notizen.** Dann erzählt jeder seinem Partner fünf Sachen, die Herr Ünal gemacht hat. Dieser sagt „richtig" oder „falsch" dazu.

1. *Ünal Bey sabah erken kalkmış.*
2. *Gazete, taze ekmek* ______________
3. ______________

____

8 Füllen Sie aus.

Dönmüş, annesi söyledi.

Fadıl'dan ne haber?

Hayır, unutmuş.

Çimen'ler yardıma gelecekler mi?

Dilek peynir almış mı? ● Gülnur hâlâ izinde mi?
Onlar yazlığa gitmişler. ● Nihayet bir daire bulmuş.

9 **Was hat Ihr Partner gestern gemacht?** Fragen Sie ihn und schreiben Sie seine Antworten auf. Dann erzählen Sie den anderen, was er gemacht hat.

→ *Dün ne yaptınız / yaptın?* — *Saat yedide kalktım. / ...*

Die Antworten Ihres Partnes:	Sie erzählen weiter:
Uwe: *„Ben saat yedide kalktım."*	*Uwe saat yedide kalkmış.*

10 Bu sokak ne kadar sessizmiş!

Gülşen: Zil çalıyor.
Ünal: Bakayım, misafirler gelmeye başladı.
...
Ünal: Hoş geldiniz, buyurun.
Misafirler: Hoş bulduk.
Gülşen: Hoş geldiniz, buyurun oturma odasına geçelim.
Ünal: Hanım, önce misafirlerimize evimizi gösterelim. Bakın, burası benim çalışma odam.
Cengiz: Oldukça büyük. Bu yazı masasını katalogda gördüm, beğenmedim. Oysa pek pratikmiş.
Gülşen: Burası yatak odası. Biraz küçük, ama memnunuz.
Demet: Şimdiye kadar hiç böyle elbise dolabı görmedim, ne güzel!
Ünal: Babaannemden. 1920 yılında satın almışlar.
Cengiz: Çocuk odası da var mı?
Gülşen: Var. İşte burası.
...
Gülşen: Ünal, yine zil çalıyor. Kapıyı açar mısın? Artık salona geçebiliriz.
Demet: Evinizi zevkli döşemişsiniz. Bu semt yemyeşilmiş, bu sokak ne kadar sessizmiş. Güle güle oturun.
Cengiz: Güle güle oturun.
Gülşen: Sağ olun. Buyurun, bir şeyler içelim.
...

11 Schreiben Sie mehrere Behauptungen zum Inhalt des Dialogs auf. Lesen Sie sie dann Ihrem Partner vor. Ihr Partner entscheidet, ob sie richtig oder falsch sind.

1. Ünal Beyle eşi misafirlerine evlerini gösteriyor. ...

12 Spielen Sie in Gruppen von drei bis vier Personen die Dialogsituation nach. Verwenden Sie dabei die Begriffe von der ersten Seite dieser Lektion.

→ ...
– Buyurun burası mutfak. / ...
...

– ...
– Fırınınız çok modernmiş. / ...

13 Wer sagt was? Der Hotelgast oder der Empfangschef? Tragen Sie ein.

M = müşteri R = resepsiyoncu

Çekle ödeyebilirsiniz.

Çift yataklı, banyolu bir oda rica edeyim.

Bütün odalarımız deniz manzaralı.

Tek kişilik bir oda lütfen.

Kaç kişilik? R
RECEPTION
Boş yeriniz var mı?
Kaç gün kalacaksınız?
Buyurun anahtarınız. Oda numaranız 203.

Beni saat yedide uyandırabilir misiniz?

Kahvaltı dahil mi?

14 Wie bestellt man im Hotel ein Zimmer? Sie sind Gast und Ihr Partner Empfangschef. Spielen Sie eine Reservierungssituation. Sie können u. a. die unten stehenden Begriffe und Wörter sowie die aus Punkt 13 verwenden.

tek kişilik bir oda	iki kişilik bir oda	Kaç gece ...?	tam / yarım pansiyon
tek yataklı	çift yataklı	Ücreti ne kadar?	yalnız kahvaltı
	duşlu	çekle ödemek	bagaj, deniz manzaralı
	banyolu	uyandırmak	

→ *İyi akşamlar?*
Boş yeriniz / odanız var mı?
...

– ...
– *Kaç kişilik? / ...*
...

GRAMMATIK

	Gülşen**ciğim**	Jörg**cüğüm**	Thomas**çığım**	Tom**cuğum**
	Gabi**ciğim**	Gül**cüğüm**	Tarık**çığım**	Turgut**çuğum**

	-miş	**-müş**	**-mış**	**-muş**
	gelmek / gitmek	dönmek / gülmek	bakmak / taşınmak	olmak / oturmak
(ben)	gel**miş**im	dön**müş**üm	bak**mış**ım	ol**muş**um
(sen)	gel**miş**sin	dön**müş**sün	bak**mış**sın	ol**muş**sun
(o)	gel**miş**	dön**müş**	bak**mış**	ol**muş**
(biz)	gel**miş**iz	dön**müş**üz	bak**mış**ız	ol**muş**uz
(siz)	gel**miş**siniz	dön**müş**sünüz	bak**mış**sınız	ol**muş**sunuz
(onlar)	gel**miş**(ler)	dön**müş**(ler)	bak**mış**(lar)	ol**muş**(lar)

gitmemek	gitmemişim, gitmemişsin, gitmemiş gitmemişiz, gitmemişsiniz, gitmemiş(ler)

Hasan gelmiş mi? Dönmüş mü? Taşınmış mı? Hasta mı olmuş?
gelmemiş mi? Dönmemiş mi? Taşınmamış mı?

	imiş		
güzel**miş**	profesör**müş**	uzak**mış**	yok**muş**
sessiz**miş**	asansörlü**ymüş**	haklı**ymış**	doğru**ymuş**

REDEMITTEL

Taşınma işini ne yapıyoruz?
En iyisi yarın uğrarım.

Bu sokak ne kadar sessizmiş.

Boş odanız var mı?
Tek kişilik bir oda lütfen.
Beni saat yedide uyandırır mısınız?

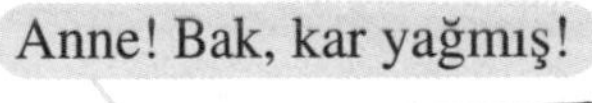

JEMANDEM DEN WEG BESCHREIBEN

12 **(S. 107) Wo ist was?** Fragen Sie Ihren Partner und finden Sie es heraus.

Partner B: *Sie stehen vor dem Busbahnhof und suchen*
1. Turizm Bürosu, 2. Park Oteli, 3. hastane
und fragt den Partner A, dieser antwortet.

→ *Affedersiniz, Turizm Bürosunu / … arıyorum. Acaba …?*
Acaba Turizm Bürosu …?
– …

Module

1 Das Wetter

rüzgârlı
güneşli
sıcak
soğuk
yağmurlu
karlı
bulutlu
sisli

Modul 1

DAS WETTER

HAVA DURUMU

HAVA DURUMU

ADANA	10°/16°
AFYON	-1°/9°
AĞRI	-4°/-1°
ANKARA	6°/11°
ANTALYA	7°/14°
BURSA	3°/14°
DİYARBAKIR	3°/ 4°
ELAZIĞ	1°/ 3°
ERZURUM	-10°/-6°
İSTANBUL	6°/10°
İZMİR	7°/13°
TRABZON	7°/13°

AMSTERDAM	4°
BAĞDAT	13°
BERLİN	3°
ZÜRİH	0°
FRANKFURT	4°
GİRNE	16°
KOPENHAG	5°
LONDRA	9°
MADRİD	14°
MOSKOVA	-3°
PARİS	6°
ROMA	12°

İSTANBUL, SİNOP, ANKARA, İZMİR, DİYARBAKIR, ANTALYA, ADANA

Güneşli, Parçalı Bulutlu, Kapalı, Yağmurlu, Karlı

2 Wie war das Wetter?

Hava : güneşliydi. — Güneş çıktı.
: yağmurluydu. — Yağmur yağdı.

: bulutluydu.
: sisliydi.

: karlıydı. — Kar yağdı.
: rüzgârlıydı. — Rüzgâr esti.

: soğuktu / sıcaktı. — –
: açıktı / kapalıydı.

➔ *İstanbul'da / … hava nasıldı?*
…

3 Wie war das Wetter in Ihrer Gegend?

Dün gece? ➔ *Hava dün gece bulutluydu.*
Bu sabah? ______ bu sabah ______
Hafta sonu? ______ hafta sonu ______
Geçen hafta? ______ geçen hafta ______
Yılbaşında? ______ yılbaşında ______

Modul 2

UNSER KÖRPER

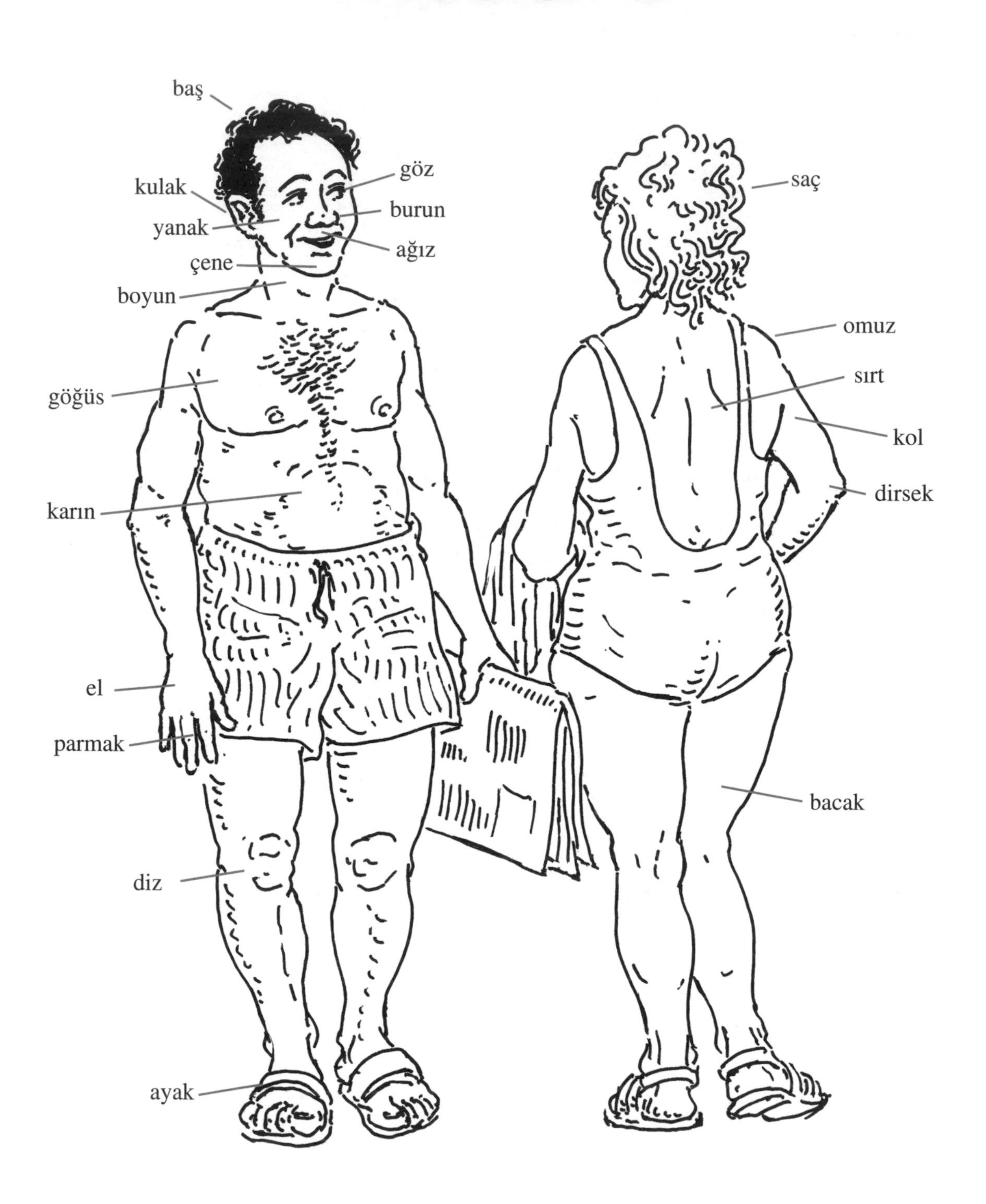

Modul 3

KLEIDUNG

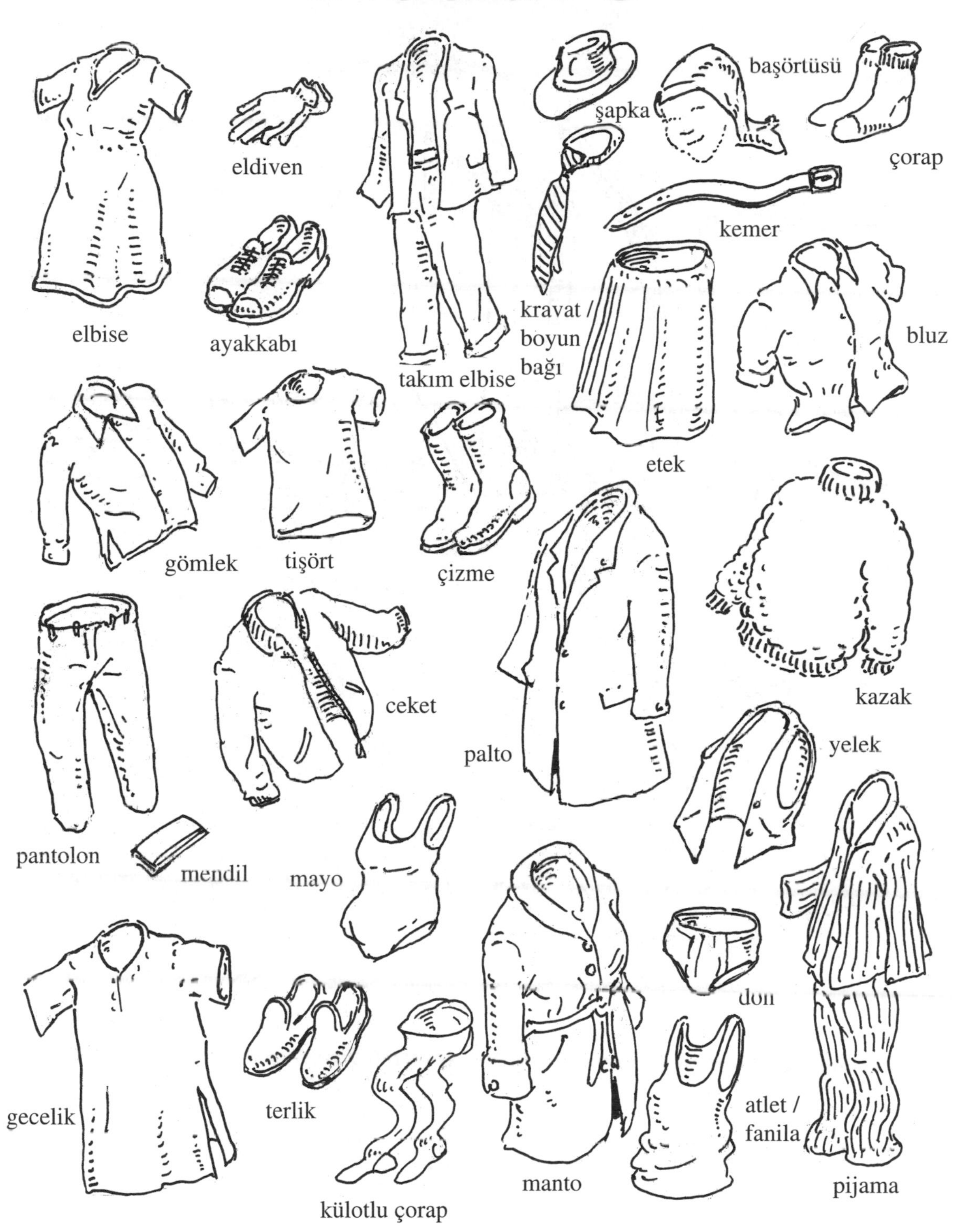

Modul 4

AUF DEM SCHREIBTISCH

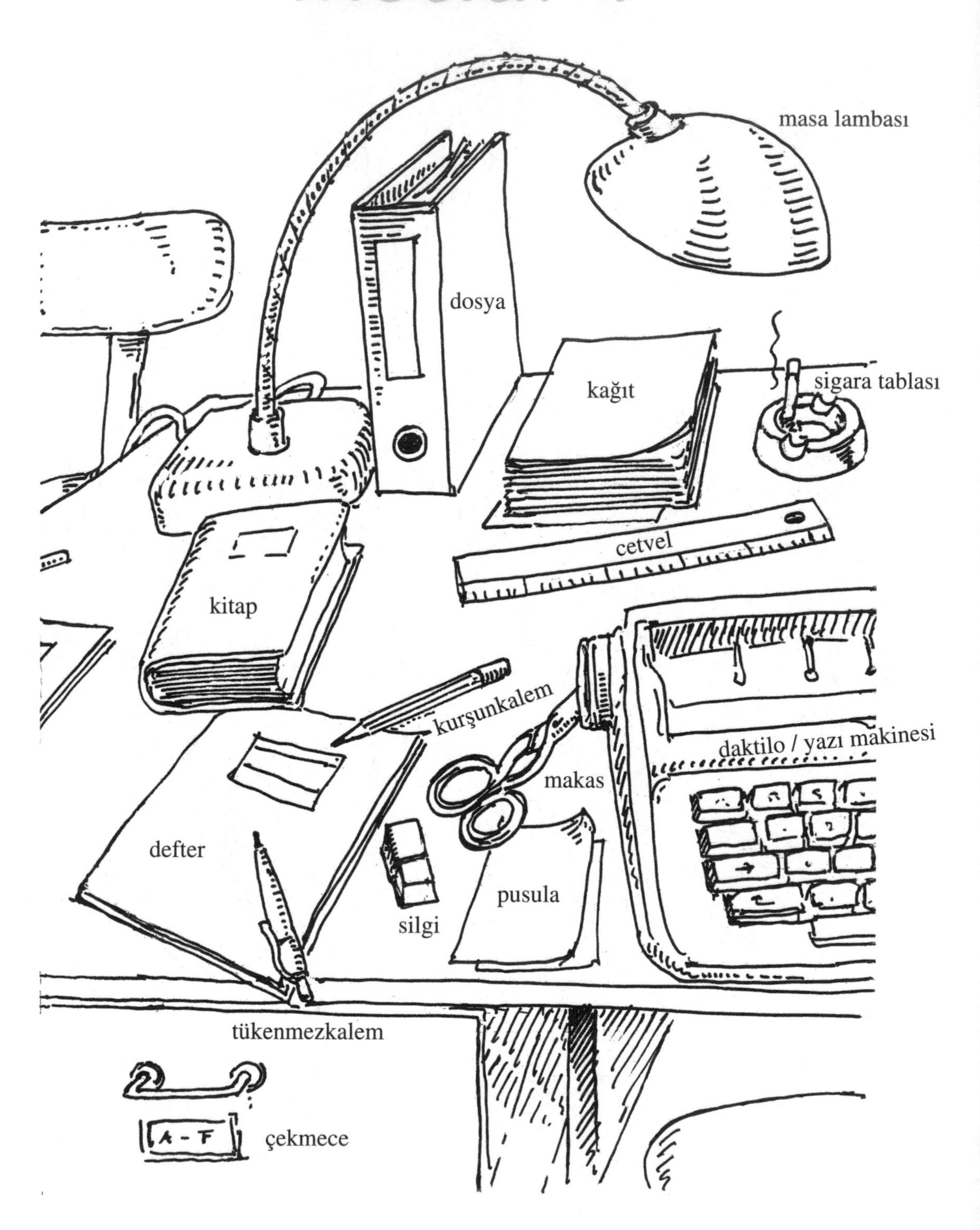

Modul 5

UMWELT, TIERE UND PFLANZEN

WÖRTERVERZEICHNIS NACH LEKTIONEN

Vorbemerkungen

1. Langvokale sind durch Unterstreichung gekennzeichnet: a, i, u
2. Konsonanten, die sich im Umfeld von hinteren Vokalen befinden und im Mund vorn artikuliert werden, sind ebenfalls durch Unterstreichung gekennzeichnet: g, k, l
3. Die Kasus, die die Verben oder auch Adjektive fordern, werden folgendermaßen gekennzeichnet: *memnun (-den)* „zufrieden“.

   Dabei bedeuten:

(-i)	Akkusativ
(-e)	Dativ / Richtung
(-de)	Lokativ
(-den)	Ablativ

LEKTION 1

1

Günaydın.	Guten Morgen!
İyi günler.	Guten Tag!
İyi akşamlar.	Guten Abend!
İyi geceler.	Gute Nacht!

2

Adım Atilla.	Mein Name (ist) Atilla.
adım	mein Name
Ben Suzan.	Ich (bin) Suzan.
ben	ich
Memnun oldum.	Sehr erfreut. / Angenehm.
Ben de.	Ich auch.

4

benim adım	mein Name
benim	mein(e)
soyadım	mein Nachname
Merhaba.	Grüß Sie! / Grüß dich!
Efendim?	Wie bitte?
Haa…	Ach so!

6

Sizin adınız ne?	Wie ist Ihr / euer Name?; Wie heißen Sie?
adınız	Ihr / euer Name
sizin	Ihr / euer
ne?	was?
hanım	Frau
bey	Herr
Hoşça kalın.	Machen Sie's gut.
Güle güle.	*Antwort auf jeglichen Abschiedsgruß.*

7

Senin adın ne?	Wie ist dein Name?; Wie heißt du?
senin	dein
adın	dein Name
Hoşça kal.	Mach's gut.

10

Tanıştırayım.	Ich möchte bekannt machen.
O kim?	Wer ist das (dort)?
o	jener; er, sie, es
kim?	wer?
Bir dakika.	Einen Moment.
bir	eins

dakika	Minute
lütfen	bitte
Buyurun.	Ja bitte!

12

Bilmiyorum.	Ich weiß es nicht.
Affedersin.	Entschuldige.

13

Affedersiniz.	Entschuldigen Sie.

14

evet	ja
hayır	nein
ve	und

15

alfabe	Alphabet

18

Lütfen, harf harf söyleyin.	Bitte, buchstabieren Sie.
harf harf	Buchstabe (für) Buchstabe
söyleyin	sagen Sie
soyadınız	Ihr Nachname
Anlamadım.	Ich habe nicht verstanden.
yine	wieder
Teşekkür ederim.	Ich danke.
Bir şey değil.	Keine Ursache.
şey	Sache, Ding
değil	nicht, kein

19

soyadın	dein Nachname
Harf harf söyle.	Buchstabiere.
söyle	sage

LEKTION 2

1

çok iyi	sehr gut
çok	viel
iyi	gut
iyice	ziemlich gut
şöyle böyle	so lala
eh... şöyle böyle	na ja ... so lala
fena değil	nicht schlecht
yorgun	müde
kötü	schlecht, miserabel

3

Ben iyiyim.	Es geht mir gut.
Siz nasılsınız?	(Und) wie geht es Ihnen?
siz	Sie / ihr
nasıl?	wie?
Nasılsınız?	Wie geht es Ihnen?

5

Nasılsın?	Wie geht es dir?
Sen nasılsın?	(Und) wie geht es dir?
sen	du
sen de	du auch

7

Eşiniz nasıl?	Wie geht es Ihrem Ehepartner?
eş	Ehepartner
Sağ olun.	Ich danke Ihnen.
eşim de	auch mein Ehepartner

8

anneniz	Ihre Mutter
anne	Mutter
annem de	auch meine Mutter
babanız	Ihr Vater
baba	Vater
babam da	auch mein Vater
arkadaşınız	Ihr(e) Freund(in) / Kamerad(in)

arkadaş	Freund(in) / Kamerad(in)
arkadaşım da	auch mein(e) Freund(in) / Kamerad(in)

9

Sağ ol.	Ich danke dir.
baban	dein Vater

10

eşin	dein Ehepartner
annen	deine Mutter
arkadaşın	dein(e) Freund(in) / Kamerad(in)

12

biraz	ein bisschen
hasta	krank
Geçmiş olsun.	Gute Besserung.

14

adı	sein / ihr Name
soyadı	sein / ihr Nachname

15

Bu ne?	Was ist das?
bu	dieser, e, s
taksi	Taxi
bilgisayar	Computer
televizyon	Fernseher
bisiklet	Fahrrad
şort	Shorts
tişört	T-Shirt
bilet	Fahrkarte
sandviç	Sandwich
ceket	Jacket
uçak	Flugzeug

16

Çok ayıp!	Das ist eine große Schande.
ayıp	Schande
… Almanca ne demek?	Wie heißt … auf Deutsch?
Almanca	Deutsch / auf Deutsch
… ne demek?	Was heißt …?
Bilmiyor musunuz?	Wissen Sie das nicht?
… demek.	Das heißt …

17

Türkçe	Türkisch / auf Türkisch
Bilmiyor musun?	Weißt du das nicht?
otobüs	Bus
motosiklet	Motorrad
piyano	Klavier
telefon	Telefon
saat	Uhr
radyo	Radio
tramvay	Straßenbahn

LEKTION 3

1

Almanya	Deutschland
Fransa	Frankreich
Lüksemburg	Luxemburg
İspanya	Spanien
İngiltere	England
İtalya	Italien
İsviçre	Schweiz
Çek Cumhuriyeti	Tschechische Republik
Rusya	Russland
Türkiye	Türkei
Avusturya	Österreich
Polonya	Polen

2

Alman	Deutsche(r)
İtalyan	Italiener(in)
Çek	Tscheche / Tschechin
Türk	Türke / Türkin

İsviçreli	Schweizer(in)
İngiliz	Engländer(in)
Avusturyalı	Österreicher(in)
İspanyol	Spanier(in)
Fransız	Franzose / Französin
Rus	Russe / Russin
Lüksemburglu	Luxemburger(in)
Polonyalı	Pole / Polin

3

John İngiliz mi?	Ist John Engländer?
mi (mü, mı, mu)?	*Fragepartikel*

7

Alman mısınız?	Sind Sie Deutsche(r)?
Ya siz?	Und Sie?
Siz kimsiniz?	Wer sind Sie?

8

Japon	Japaner(in)
Amerikalı	Amerikaner(in)
İngiliz değilim.	Ich bin kein(e) / nicht Engländer(in).

10

şimdi	jetzt
anladım	ich habe verstanden

12

Alman mısın, Türk müsün?	Bist du Deutsche(r) (oder) Türke / Türkin?
Ya sen?	Und du?
hem … hem …	sowohl … als auch
yani	das heißt; also
Öyle mi?	So?
Öyle.	So ist es.

14

Nerelisiniz?	Woher stammen / sind Sie?
Zürih	Zürich
Zürihli	Züricher(in)
Ürgüp	Ürgüp
Ürgüplü	aus Ürgüp stammend
Viyana	Wien
Viyanalı	Wiener(in)
enteresan	interessant
İstanbul	Istanbul
İstanbullu	Istanbuler(in)

15

doğru	richtig
yanlış	falsch
Nerelisin?	Woher stammst / bist du?
Nereli?	Woher stammt / ist er (sie, es)?

LEKTION 4

3

artı	plus
eşittir	ist gleich
eksi	minus
çarpı	mal
bölü	geteilt durch

4

adresiniz	Ihre Adresse
adres	Anschrift
adresim	meine Adresse
İnönü Caddesi	İnönüstraße
cadde	Straße

5

adresin	deine Adresse

8

Telefonunuz var mı?	Haben Sie Telefon?
var	existent, es gibt
Numarası kaç?	Wie ist die Nummer?
numara	Nummer
kaç?	wie viel?

ev	Haus, Wohnung
iş	Arbeit
kartvizitim	meine Visitenkarte
kartvizit	Visitenkarte
bu da	und das
Atatürk Bulvarı	Atatürk-Boulevard
bulvar	Boulevard
meydan	großer öffentlicher Platz

9

Telefonun var mı?	Hast du Telefon?
Telefonum yok.	Ich habe kein Telefon.
yok	nicht existent, es gibt nicht / kein/e/n …

10

adresi	seine / ihre Adresse
telefon numarası	seine / ihre Telefonnummer

11

çanta	Tasche
anahtar	Schlüssel
ekmek, -eği	Brot
fincan	Tasse
kahve	Kaffee
elma	Apfel
şişe	Flasche
su	Wasser
Resimde kaç … var?	Wie viele … gibt es auf dem Bild?
resim	Bild

12

benim numaram	meine Nummer
İşte burası!	Hier ist es!
işte	hier / da (ist) …
burası	dieser Platz, diese Stelle, dieser Ort
Burası benim yerim.	Hier ist mein Platz.
yer	Platz
Haklısınız.	Sie haben Recht.
problem	Problem
İyi yolculuklar.	Gute Reise.
yolculuk, -uğu	Reise
evli	verheiratet
Çocuğunuz var mı?	Haben Sie Kinder?
çocuk, -uğu	Kind
kız	Tochter, Mädchen
bekâr	ledig

13

Çocuğun var mı?	Hast du Kinder?

LEKTION 5

1

nerede?	wo?
Anja Hanım nerede oturuyor?	Wo wohnt Frau Anja?
oturmak (-de)	wohnen in, sitzen auf

5

hangi?	welcher?
apartman	Mietshaus
Bende … var.	Ich habe …
bende	bei mir
Ne güzel!	Wie schön!
güzel	schön
konuşmak	sprechen

7

üniversite	Universität
lokanta	Restaurant
banka	Bank
okul	Schule
hastane	Krankenhaus
eczane	Apotheke

8

Doktor hastanede çalışıyor.	Der Arzt / Die Ärztin arbeitet im Krankenhaus.
çalışmak	arbeiten
doktor	Arzt /Ärztin
bankacı	Bankangestellte(r)
profesör	Professor(in)
garson	Kellner(in)
eczacı	Apotheker(in)
öğretmen	Lehrer(in)

10

çay	Tee
içmek	trinken
istemek	wollen, mögen (ich möchte)
efendim	mein Herr / meine Dame
hayhay	gewiss
Ne var?	Was gibt's?
niçin?	warum?
gülmek	lachen
görmek	sehen
gelmek	kommen
O da kim?	Wer ist das denn?
öğrenmek	lernen
kurs	Kurs

13

… yaşında	… Jahre alt
araba	Auto, Wagen
sekreter	Sekretärin
firma	Firma

LEKTION 6

1

dönerci	Dönerverkäufer(in) / Dönerladen
avukat	Rechtsanwalt / Rechtsanwältin
postacı	Briefträger(in)
pansiyoncu	Pensionsinhaber(in)
hemşire	Krankenschwester
dişçi	Zahnarzt / Zahnärztin
şoför	Fahrer(in)
polis	Polizist(in)
gözlükçü	Optiker(in) / Optikerladen

2

Sizin mesleğiniz ne?	Welchen Beruf haben Sie?
meslek, -eği	Beruf
ama	aber
Ne iş yapıyorsunuz?	Was machen Sie beruflich?
yapmak	machen

4

tenisçi	Tennisspieler(in)
öğrenci	Schüler(in) / Student(in)
hafta sonu	Wochenende / am Wochenende
hafta	Woche
son	Ende
tenis oynamak	Tennis spielen
oynamak	spielen
çaycı	Teeverkäufer(in) / Teetrinker(in)

6

döner	Döner
gözlük, -üğü	Brille
postane	Postamt
pansiyon	Pension

8

misafirlikte	zu Besuch
misafirlik, -iği	Gastbesuch, Zu-Besuch-Sein
Hoş geldiniz.	Willkommen.
Hoş bulduk.	*Antwort darauf*

dönerci olarak	als Dönerverkäufer(in)
olarak	als
dönercilik, -iği	Beruf des Dönerverkäufers / der Dönerverkäuferin
yorucu	anstrengend
kolay	leicht
kız arkadaş	Kameradin / Freundin
işsiz	arbeitslos
iş aramak	Arbeit suchen
aramak	suchen
işsizlik, -iği	Arbeitslosigkeit
şey…	Dingsda … / Also …
çünkü	denn
küçük, -üğü	klein
Ne tesadüf!	Was für ein Zufall!
tesadüf	Zufall
saat	Stunde
yarım gün	halber Tag / halbtags
yarım	halb
gün	Tag

12

zor	schwer / schwierig

15

bulaşık yıkamak	abspülen
alışveriş yapmak	einkaufen
alışveriş	Einkauf
kahve pişirmek	Kaffee kochen
pişirmek	kochen
gazete okumak	Zeitung lesen
gazete	Zeitung
okumak	lesen, studieren
mektup yazmak	Briefe schreiben
mektup	Brief
yazmak	schreiben
telefon etmek	telefonieren
etmek	tun
çiçek sulamak	Blumen gießen
çiçek, -eği	Blume
sulamak	gießen
çamaşır yıkamak	Wäsche waschen
çamaşır	Wäsche
yıkamak	waschen
ev hanımı	Hausfrau

LEKTION 7

1

nereye?	wohin?
konser	Konzert
bar	Bar
müze	Museum
sinema	Kino
yüzmek	schwimmen
gitmek (-e)	gehen, fahren
müzik dinlemek	Musik hören
dinlemek	zuhören, anhören
kitap okumak	lesen
kitap, -bı	Buch
televizyon izlemek	fernsehen
izlemek	verfolgen

3

Boş zamanınızda ne yapıyorsunuz?	Was machen Sie in Ihrer Freizeit?
boş	frei, leer
zaman	Zeit
etkinlik, -iği	Aktivität
gezmek (-de)	spazierengehen

5

tiyatro	Theater
kart	Karte
beklemek	warten
maç	Match, Fußballspiel
Tabii!	Natürlich!
öyleyse	wenn es so ist
yalnız	allein

9

Müjde!	Gute Nachricht!, Frohe Botschaft!
nereden?	woher?
kimden?	von wem?
Amma çok soruyorsun, ha!	Fragst du aber viel, Mensch!
ha!	na!, Menschenskind!
sormak (-e)	fragen (jmdn.)
İşte, buyur!	Hier, bitte schön!
eylül	September
sevgili	liebe(r)
şehir, -hri	Stadt
her akşam	jeden Abend
her	jede(r), jedes
akşam	Abend
diskotek, -eği	Diskothek
dans etmek	tanzen
dans	Tanz
candan	herzlich (*wörtl.:* von Herzen)
selam	Gruß

12

genellikle	im Allgemeinen

13

her gün	jeden Tag
severek	gern
istemeyerek	ungern

16

yatak, -ağı	Bett
kalkmak (-den)	aufstehen
kahvaltı etmek / yapmak	frühstücken
kahvaltı	Frühstück
yemek pişirmek	kochen
yemek, -eği	Essen
yemek yemek	essen
temizlik yapmak	saubermachen
temizlik, -iği	Sauberkeit
duş yapmak	duschen
duş	Dusche
jimnastik yapmak	Gymnastik machen

17

arada sırada	ab und zu

LEKTION 8

1

atletik, -iği	athletisch
utangaç, -cı	schüchtern
düzensiz	unordentlich
sempatik, -iği	sympathisch
kötümser	pessimistisch
komik, -iği	komisch
romantik, -iği	romantisch

2

kişilik testi	Persönlichkeitstest
kişi	Person
kişilik, -iği	Persönlichkeit
test	Test
düzenli	ordentlich
realist	realistisch
girgin	aufgeschlossen, unbefangen
iyimser	optimistisch
ciddi	ernst
sevimsiz	unsympathisch

3

oldukça	ziemlich
sanmak	glauben, meinen
belki	vielleicht

4

cevap, -abı	Antwort

6

gözlüklü	mit Brille
adam	Mann
acaba	was wohl?
aynı	derselbe, dieselbe, dasselbe, der gleiche, die gleiche, das gleiche
Oo!	Oho!

7

Nasıl biri?	Was für eine Person ist er / sie?
biri	jemand, Person

8

görünüş	Aussehen
uzun saçlı	langhaarig
uzun	lang
saç	Haar
kısa saçlı	kurzhaarig
kısa	kurz
dazlak, -ağı	glatzköpfig, Skinhead
saçsız, kel	haarlos, kahl
şişman	dick
ince uzun	schlank und groß
ince	schlank, zierlich
uzun boylu	groß
boy	Größe, Statur
orta boylu	mittelgroß
orta	mittel, Mitte
sakallı	mit Bart
sakal	Bart
bıyıklı	mit Schnurrbart
bıyık, -ığı	Schnurrbart
yakışıklı	gut aussehend
kara gözlü	schwarzäugig
kara	schwarz
göz	Auge
mavi gözlü	mit blauen Augen
mavi	blau
sarışın	blond
esmer	dunkler Typ

9

sevimli	sympathisch
hemşirelik yapmak	den Beruf einer Krankenschwester ausüben

10

yeni	neu
meslektaş	Kollege / Kollegin
Hııım!	Ah!
görünmek	aussehen
..., değil mi?	..., nicht wahr?
kimin?	wessen?

15

aile	Familie
anneanne	Oma mütterlicherseits
dede	Opa
babaanne	Oma väterlicherseits
dayı	Onkel mütterlicherseits
teyze	Tante mütterlicherseits
hala	Tante väterlicherseits
amca	Onkel väterlicherseits
ağabey	älterer Bruder
erkek kardeş	Bruder
erkek, -eği	Mann
kardeş	Geschwister
kız kardeş	Schwester
abla	ältere Schwester
benden büyük	älter als ich
büyük, -üğü	groß
yeğen	Neffe, Nichte

16

... yaşındayım	ich bin ... Jahre alt
mühendis	Ingenieur(in)
kadın	Frau
hayat, -atı	Leben
tip	Typ
Her şeye gülüyor.	Sie lacht über alles.
her şey	alles
fotoğraf	Fotografie / Foto

LEKTION 9

1

otobüs garajı	Busbahnhof
garaj	Garage, Busbahnhof
Bulvar Eczanesi	Boulevard-Apotheke
Urfa Kebapçısı	Urfa-Kebab-Restaurant
kebapçı	Kebabhersteller(in), -verkäufer(in), -restaurant
aile çay bahçesi	Familiengarten-restaurant
bahçe	Garten
danışma merkezi	Informationszentrale
danışma	Information(sstelle)
merkez	Zentrale, Zentrum
seyahat acentesi	Reisebüro
seyahat	Reise
acente	Agentur
erkek kuaförü	Herrenfriseur
kuaför	Friseur / Frisöse
Halk Yüksek Okulu	Volkshochschule
halk	Volk
yüksek, -eği	hoch

2

memnun (-den)	zufrieden mit
uçmak	fliegen
Sende ne var, ne yok?	Was gibt es bei dir Neues?
Ne var ne yok?	Was gibt's Neues?, Wie steht's, wie geht's?

3

enstitü	Institut

4

otomobil	Automobil
filarmoni	Philharmonie
arkeoloji	Archeologie
orkestra	Orchester
turizm	Tourismus
fabrika	Fabrik
büro	Büro

7

devlet hastanesi	staatliches Krankenhaus
devlet	Staat
Dokuz Eylül Üniversitesi	Universität Dokuz Eylül
Türkçe Öğretim Merkezi / TÖMER	*siehe Erläuterungen im Arbeitsbuch*
öğretim	Lehre
çocuk yuvası	Kindergarten
yuva	Nest, Heim
asistan	Assistent(in)
ders	Unterricht, Lektion
vermek	geben
eğitici	Kindergärtnerin, Erzieher(in)
Amerika	Amerika
birkaç	einige
… yaşlarında	etwa im Alter von …

9

danışmanlık, -ığı	Beratung
fakat	aber, jedoch
ilginç, -ci	interessant
gene de	dennoch
hayat	Leben

11

turizm bürosu	Fremdenverkehrsamt

14

alışveriş merkezi	Einkaufszentrum
İş ve İşçi Bulma Kurumu	türkisches Arbeitsamt
bulma	Finden
kurum	Institution
içkisiz	alkoholfrei
içki	alkoholisches Getränk
telefon kulübesi	Telefonzelle

kulübe	Häuschen
film izlemek	einen Film ansehen
film	Film
bilet	Eintritts-, Fahrkarte
almak	kaufen, nehmen, bekommen
göndermek	schicken, senden

LEKTION 10

1

Saat bir.	Es ist ein Uhr.
Saat on buçuk.	Es ist halb elf.
… buçuk	halb … *(einer Zahl nachgestellt)*
Saat yarım.	Es ist halb eins.

2

Saat kaç?	Wie spät ist es?

3

Saat kaçta?	Um wie viel Uhr?

4

tıraş olmak	sich rasieren
tıraş	Rasur
böyle	so

7

binmek (-e)	einsteigen
başlamak (-e)	beginnen, anfangen mit
öğle yemeği	Mittagessen
öğle	Mittag
yatmak (-e)	sich hinlegen, zu Bett gehen

9

Saat bire yirmi beş var.	Es ist fünfundzwanzig vor eins.
çeyrek, -eği	Viertel
Biri beş geçiyor.	Es ist fünf nach eins.
geçmek (-i)	über / durch etwas gehen

10

(saat) biri beş geçe	um fünf nach eins
(saat) bire beş kala	um fünf vor eins

11

götürmek (-i)	hinbringen
komşu	Nachbar(in)
pasta	Kuchen
dinlenmek	sich ausruhen
… doğru (-e)	gegen …
neler?	was alles?

12

kimi?	wen?

14

Saatiniz kaç?	Wie spät haben Sie es?
ne zaman?	wann?
kalkmak (-den)	abfahren, abfliegen in / am

15

tren	Zug

18

pazartesi	Montag
salı	Dienstag
çarşamba	Mittwoch
perşembe	Donnerstag
cuma	Freitag
cumartesi	Samstag
pazar	Sonntag
misafir	Gast, Besuch
haber	Nachricht
piknik, -iği	Picknick
pazartesi günü	am Montag

19

ziyaret etmek (-i)	besuchen (jmdn.)
ziyaret	Besuch

20

bütün	ganz
… boyunca	… lang
akşamları	abends

LEKTION 11

1

sörf yapmak	surfen
sörf	Surfbrett
kayak yapmak	Ski fahren
kamp yapmak	campen
dağa çıkmak	bergsteigen
dağ	Berg
çıkmak (-e)	hinaufgehen, hinausgehen auf
şehir turu yapmak	Sightseeing
tur	Tour
yelkenli sürmek	segeln
yelken	Segel
sürmek	antreiben, steuern, fahren
katılmak (-e)	teilnehmen an

2

Tatil geldi mi, ver elini Türkiye!	Sind erst einmal die Ferien da, auf in die Türkei!
önce	zuerst
kalmak	bleiben
sonra	danach, nach; später
doğru	geradeaus
ağustos	August
tatile çıkmak	in Urlaub fahren

3

ay	Monat
ocak, -ağı	Januar
şubat	Februar
mart	März
nisan	April
mayıs	Mai
haziran	Juni
temmuz	Juli
eylül	September
ekim	Oktober
kasım	November
aralık, -ığı	Dezember

4

program	Programm
inşallah	so Gott will, hoffentlich

7

gelecek cumartesi	kommenden Samstag / Sonnabend
peki	gut
beni	mich
davet etmek (-i)	einladen
davet	Einladung
seni	dich
kabul etmek (-i)	annehmen, akzeptieren
kabul, -lü	Annahme, Akzeptanz

8

bugün	heute
bu sabah	heute früh / heute Morgen
sabah	Morgen, am Morgen
öğleden önce	am Vormittag, vormittags
-den önce	vor
öğlen / öğleyin	am Mittag, mittags
öğleden sonra	am Nachmittag, nachmittags
-den sonra	nach
bu akşam	heute Abend
gece	Nacht, in der Nacht, nachts
yarın	morgen
öbür gün	übermorgen

yıl	Jahr
iki saat sonra	in zwei Stunden
dersten sonra	nach dem Unterricht

9

geceleri	nachts
salı günleri	dienstags
Mehmet'le Ursine	Mehmet und Ursine
hafta sonları	an den Wochenenden
öğleden önceleri	vormittags

11

kütüphane	Bibliothek
plaj	Strand
birahane	Bierlokal
süpermarket	Supermarkt
salon	Saal

12

bira	Bier

13

dolmuş	Sammeltaxi
kamyonet	Kleinlastwagen
vapur	Dampfer
yolcu otobüsü	Reisebus
yolcu	Reisende(r)
yol	Weg

14

neyle?	womit?
ile	mit / und
yayan	zu Fuß
metro	U-Bahn
kiminle?	mit wem?

LEKTION 12

2

dün	gestern
Alo!	Hallo! *(am Telefon)*
park	Park
sergi	Ausstellung
ne haber?	was gibt's zu berichten?
dönmek (-den)	zurückkehren aus
geçen hafta	vorige Woche
selam söylemek (-e)	Grüße bestellen
hiçbir *(mit Verneinung)*	kein(e)
unutmak (-i)	vergessen
herhalde	sicherlich, wahrscheinlich

5

aç	hungrig
biraz önce	gerade eben
senin için	für dich
… için	für
iki gün önce	vor zwei Tagen

6

sirk	Zirkus
fotoğraf çekmek	fotografieren
hobi	Hobby

11

dün sabah	gestern früh / Morgen
önceki gün	vorgestern
geçenlerde	neulich
geçen gün	neulich
geçen ay	im vorigen Monat
bir saat önce	vor einer Stunde

12

dün öğleden önce	gestern Vormittag
dün öğleden sonra	gestern Nachmittag

17

çalar saat	Wecker
çalmak	klingeln
uyanmak	aufwachen
yatak keyfi yapmak	es sich im Bett gemütlich machen
keyif, -yfi	Wohlbefinden, gute Laune
dişlerini fırçalamak	sich die Zähne putzen
diş	Zahn
fırçalamak	bürsten
sürmek	(an-)dauern
bir şeyler	einiges
atıştırmak	hinunterschlingen
… kadar (-e)	bis
dönmek (-e)	zurückkehren nach
öykü	Erzählung, Kurzgeschichte
elini yüzünü yıkamak	sich die Hände und das Gesicht waschen
el	Hand
yüz	Gesicht
önemli	wichtig
olmak	werden; sein

LEKTION 13

1

eskiden	früher
kaptan	Kapitän(in)

2

röportaj	Reportage
para	Geld
Hiçbir şeyim yoktu.	Ich hatte gar nichts.
ne … ne …	weder … noch …
İşim çoktu.	Ich hatte viel zu tun.
Sekreterdim.	Ich war Sekretärin.
artık *(mit Verneinung)*	nicht mehr
emekli	Pensionär(in) / Rentner(in)
müdür	Direktor(in)
emekli olmak	pensioniert werden, in Rente gehen
çabuk, -uğu	schnell
çok şey	vieles
kahve	(Männer)Café
gençlik, -iği	Jugend
başka	etwas anderes

4

sana	dir
Evde yoktun.	Du warst nicht zu Hause.
neden?	weshalb?
vallahi	bei Gott!

7

gezmek (-i)	besichtigen

12

doğmak	geboren werden
ilkokul	Grundschule
evlenmek (ile)	heiraten
kızı olmak	eine Tochter bekommen
satın almak	kaufen
ayrılmak (-den)	sich trennen

15

mevsim	Jahreszeit
ilkbahar, -ari	Frühling
yaz	Sommer
sonbahar, -ari	Herbst
kış	Winter

17

en çok	am meisten
sevmek (-i)	lieben, mögen
yazın	im Sommer
kışın	im Winter

LEKTION 14

1

kedi	Katze
masanın altında	unter dem Tisch
masa	Tisch
alt	Unteres
masanın üstünde	auf dem Tisch
üst	Oberes
masanın yanında	neben dem Tisch
yan	Seite
masanın arkasında	hinter dem Tisch
arka	Hinteres
sepetin içinde	im Korb
sepet	Korb
iç	Inneres
televizyonun önünde	vor dem Fernseher
ön	Vorderes
radyo ile ütünün arasında	zwischen dem Radio und dem Bügeleisen
ütü	Bügeleisen
ara	Zwischenraum

2

otel	Hotel
yakın	Nähe, nah
karşı	gegenüber
tuvalet	Toilette
cami	Moschee

3

arkada	hinten
yanda	daneben
solda	links
sol	linke Seite
sağda	rechts
sağ	rechte Seite
arada	dazwischen

5

buralarda	hier in der Gegend
burada	hier

8

yakında	in der Nähe
yakınlarda	hier in der Nähe

9

Eminönü	Stadtteil von Istanbul
turist	Tourist(in)
Topkapı Sarayı	*Topkapi-Serail*
şehir planı	Stadtplan
plan	Plan
bakın	schauen Sie
bakmak	schauen
… metre kadar	etwa … Meter
metre	Meter
kadar	etwa
yürümek	zu Fuß gehen
sapmak (-e)	abbiegen
gar	Bahnhof
uzak, -ağı	weit
aşağı yukarı	ungefähr
yardım	Hilfe

11

Kapalı Çarşı	*„der überdachte Basar"*
çarşı	ständiger Basar, Einkaufsgegend
oradan	von dort
dönmek (-e)	sich wenden
taraf	Seite

13

kuzey	Norden
güney	Süden
doğu	Osten
batı	Westen
kent	Stadt
durak, -ağı	Haltestelle
uzaklık, -ığı	Entfernung

evden çıkmak	aus dem Haus gehen
çıkmak (-den)	hinausgehen
işyeri	Arbeitsplatz

LEKTION 15

1

zeytin	Olive
yaprak sarma	gefüllte Weinblätter
salata	Salat
baklava	*Blätterteigsüßigkeit mit Hasel- und Walnüssen*
kırmızı şarap	Rotwein
kırmızı	rot
şarap, -bı	Wein
sucuk, -uğu	*türkische Wurst*
yoğurt, -du	Jogurt
pide	Fladenbrot
maden suyu	Mineralwasser
bal	Honig
salam	Salami, Wurst
beyaz peynir	Schafskäse
beyaz	weiß
peynir	Käse
yumurta	Ei
reçel	Marmelade
tavuk, -uğu	Huhn
rakı	Anisschnaps
balık, -ığı	Fisch
çorba	Suppe
bulgur pilavı	*Weizengrützegericht*
pilav	gekochter Reis oder gekochte Weizengrütze
karnıyarık, -ığı	*Auberginen mit Hackfleischfüllung*
sütlaç	Milchreis
tereyağı	Butter
biftek, -eği	Beefsteak

2

Ben çay içeyim.	Ich trinke / möchte einen Tee.
biraz daha	noch ein bisschen
daha	noch
nefis	köstlich

5

gidelim mi?	gehen wir? / wollen wir gehen?
öneri	Vorschlag
Olur.	Das geht. / O. K.
Tamam.	In Ordnung. / Alles klar.
Başka kim?	Wer noch?
Gerek yok.	Es ist nicht nötig.
gerek, -eği	Notwendigkeit, nötig
buluşmak (ile)	sich treffen

8

müşteri	Gast
hesap, -bı	Rechnung
arzu	Wunsch
hanımefendi	meine Dame
beyefendi	mein Herr
kebap, -bı	Kebab
yemek listesi	Speisekarte
liste	Liste
rica etmek (-i)	etwas erbitten
zeytinyağlılar	*mit Olivenöl zubereitete Speisen*
pepsi	Pepsi-Cola
orta şekerli	mittelsüß
şeker	Zucker

9

içecek, -eği	Getränk
tatlı	Süßspeise, süß

11

Elinize sağlık.	Gesundheit Ihrer Hand!
enfes	vorzüglich, ganz ausgezeichnet

Eline sağlık.	Gesundheit deiner Hand!
harika	wunderbar
lezzetli	schmackhaft
lezzet	Geschmack
şahane	herrlich
bayılmak (-e)	schwärmen für
beğenmek (-i)	gern haben, mögen
Afiyet olsun.	Wohl bekomm's!, Guten Appetit!
Ziyade olsun.	Es soll mehr sein! *(siehe Erläuterungen)*
iltifat etmek (-e)	Komplimente machen
Şerefe!	Prosit!
Şerefinize!	Auf Ihr Wohl!
Şerefine!	Auf dein Wohl!
şeref	Ehre
Sağlığınıza!	Auf Ihre Gesundheit!
Sağlığına!	Auf deine Gesundheit!
sağlık, -ığı	Gesundheit
haydi	auf, los
çın çın	kling kling (*lautmalend beim Anstoßen)*

LEKTION 16

1

şeftali	Pfirsich
üzüm	Weintrauben
marul	Kopfsalat
portakal	Orange
patlıcan	Aubergine
domates	Tomaten

2

sebze	Gemüse
meyve	Obst
çeşitli	Verschiedenes

3

bakar mısınız?	Würden Sie mal schauen / kommen?
hemen	sofort
domates suyu	Tomatensaft
bardak, -ağı	Glas
seçmek (-i)	(aus-)wählen
imambayıldı	„Der Imam fiel in Ohnmacht" *(Auberginengericht in Olivenöl)*
cacık, -ığı	Tsatsiki
sigara böreği	*gefüllte, gewickelte Blätterteigröllchen*
barbunya pilakisi	rote Bohnen in Olivenöl
memnuniyetle	mit Vergnügen, gerne
mercimek çorbası	Linsensuppe
düğün çorbası	„Hochzeitssuppe"
meze	Vorspeise
çoban salatası	Hirtensalat
yoğurtlu ıspanak	Spinat mit Jogurt
ıspanak, -ağı	Spinat
ızgara	Grill
ızgaralar	Gegrilltes
köfte	*türkische Hackfleischröllchen*
şiş kebap, -bı	*am Spieß gegrilltes Hammelfleisch*
Adana kebap	*am Spieß gegrilltes Hackfleisch mit oder ohne Jogurt*
kadayıf	*Süßigkeit aus Teigfäden mit Sirup*
ayran	*gesalzenes, verdünntes Jogurtgetränk*
bıçak, -ağı	Messer
çatal	Gabel
kaşık, -ığı	Löffel
tabak, -ağı	Teller
peçete	Serviette

8

beraber	zusammen
ayrı ayrı	getrennt
sağlıklı	gesund
konserve	Konserve

maalesef	leider
taze	frisch
bulmak, -ur	finden
sade kahve	schwarzer Kaffee
sade	einfach
benimki	meine(r) / meines
… ne oldu?	Was ist aus … geworden?
acele etmek	es eilig haben
gelir	sie kommt schon noch

10

… hoşuma gidiyor.	… gefällt mir.
sağlıksız	ungesund
acı	scharf; bitter
sarmısak, -ağı / sarımsak, -ağı	Knoblauch
baharat	Gewürz
fikir, -kri	Idee
tanımak (-i)	kennen
yağlı	fettig
yağ	Fett
tercih etmek (-i)	bevorzugen

11

sıcak bir şey	etwas Warmes
soğuk bir şey	etwas Kaltes

14

Ye Kürküm Ye	Iss, mein Pelzmantel, iss!
kürk	Pelzmantel
düğün yemeği	Hochzeitsessen
düğün	Hochzeitsfest
günlük giysi	Tageskleidung
giysi	Kleidung
kimse *(mit Verneinung)*	niemand
ilgilenmek (ile)	sich kümmern um
"buyur" demek (-e)	bitten zu, *z. B. zum Essen*
giymek (-i)	anziehen, tragen
geri	zurück
itibar	Ansehen, Wertschätzung
kapı	Tür
karşılamak (-i)	empfangen, entgegengehen
etek, -eği	Saum
tutmak (-i)	anfassen, halten

LEKTION 17

1

biber	Paprikaschote, Pfeffer
salatalık, -ığı	Gurke
karpuz	Wassermelone
kavun	Honigmelone
pirinç, -ci	(ungekochter) Reis
soğan	Zwiebel
havuç, -cu	Karotte / Mohrrübe
maydanoz	Petersilie
armut	Birne
sabun	Seife
gömlek, -eği	Hemd
cüzdan	Brieftasche
demlik, -iği	kleine Teekanne *(für den Extrakt)*
çaydanlık, -ığı	Teekanne
çamaşır tozu	Waschpulver
ayakkabı	Schuhe
havlu	Handtuch
pantolon	Hose
giyecek	Bekleidung

2

lazım	nötig, notwendig
kilo	Kilo
demet	Strauß, Bund
tane	Stück

3

pazar	Markt

5

lira	türkisches Pfund
satıcı	Verkäufer(in)
yetmek	ausreichen
tulum peyniri	Ziegenkäse
haftaya	nächste Woche

6

alıcı	Käufer(in)

8

… kaça?	Wie viel kostet …?

9

ihtiyaç, -çı	Bedarf
hazırlamak (-i)	vor-, zubereiten
öteki	andere
dosya	Akte
getirmek (-i)	bringen
çırak, -ağı	Lehrling
göstermek (-i)	zeigen
bazen	manchmal
… hakkında	über
bilgi vermek	Informationen geben
sipariş	Bestellung
Nereden bileyim?	Woher soll ich das wissen?
dükkân	Geschäft
açmak (-i)	öffnen
temizlemek (-i)	säubern
usta	Meister(in)
kısacası	kurz und gut
bir sürü	eine Menge

11

olmaz	das geht nicht

15

pastane	Konditorei
mümkün	möglich
uygun	passend
Görüşmek üzere.	Auf Wiedersehen!
görüşmek	sich sehen, sich sprechen

16

önermek (-i)	vorschlagen

17

ders çalışmak	lernen

18

daha küçük	kleiner
en küçük	am kleinsten
bavul	Koffer

19

ucuz	billig
pahalı	teuer

20

kalın	dick
ince	dünn
eski	alt
çirkin	hässlich
tahta	(Wand-)Tafel
tükenmezkalem	Kugelschreiber
kalem	Schreibstift

LEKTION 18

1

doğum	Geburt
doğum günü	Geburtstag
… kutlu olsun	… soll Glück bringen
Analı babalı büyüsün.	Es soll mit Mutter und Vater groß werden.
büyümek	groß werden
Allah	Allah
ömür, -mrü	Leben, Lebensdauer
Mutluluklar dilerim.	Ich wünsche viel Glück.
mutluluk, -uğu	Glück
dilemek	wünschen

Bir yastıkta kocayın.	*wörtl.:* Werden Sie auf einem Kopfkissen alt. *(Hochzeitsglückwunsch)*
yastık, -ığı	Kopfkissen
Nice yıllara!	Auf viele Jahre!

3

şampanya	Sekt
kutlamak (-i)	gratulieren
allahaısmarladık	Gott befohlen.
yemek kitabı	Kochbuch
CD	CD
hediye	Geschenk

6

Ne hediye edebiliriz?	Was können wir schenken?
hediye etmek	schenken
davetli	eingeladen
sahi	stimmt, tatsächlich
taşınmak (-e)	umziehen, einziehen
düşünmek	überlegen, denken

8

kolye	Halskette
takmak	anlegen
yeni evli	frisch verheiratet
gitar çalmak	Gitarre spielen
gitar	Gitarre
çalmak	spielen *(Kassette, Musikinstrumente u. a.)*
sigara içmek	rauchen
sigara	Zigarette
tavla	Backgammon
ara sıra	ab und zu
geç	(zu) spät

9

top	Ball
çakmak, -ağı	Feuerzeug
düdüklü tencere	Dampfkochtopf
nargile	Wasserpfeife
saz	*türkisches langhalsiges Saiteninstrument*

11

uğrayamamak	nicht vorbeischauen können
uğramak (-e)	vorbeischauen
kusura bakma	verzeih!
seve seve	sehr gern
Güle güle kullan.	Verwende es mit Freude.
kullanmak (-i)	verwenden, gebrauchen, benutzen

14

keman	Geige
vals yapmak	Walzer tanzen
kazak örmek	Pullover stricken
kazak, -ağı	Pullover

16

nikâh töreni	Trauungszeremonie
nikâh, -ahı	Trauung
tören	Zeremonie
mutluluk duymak (-den)	sich glücklich schätzen
duymak	fühlen, empfinden, hören
tarih	Datum, Geschichte
belediye	Stadtverwaltung
evlendirme dairesi	Standesamt
daire	Amt, Büro
şeker bayramı	Ramadanfest
bayram	muslimisches Fest
başarı	Erfolg
esenlik, -iği	Wohlbefinden
tebrik, -iği	Gratulation
davetiye	schriftliche Einladung

LEKTION 19

1

kat	Stockwerk
ya da	oder
daire	Etagenwohnung
site	Siedlung
bulunmak	sich befinden
tek katlı	einstöckig
tek	einzeln, allein
yazlık, -ığı	Sommerhaus
deniz kenarı	Meerufer, Küste
deniz	Meer
kenar	Rand

2

oda	Zimmer
giriş	Eingang
geniş	breit, weit, geräumig
çalışma odası	Arbeitszimmer
Hiç sormayın!	Fragen Sie bloß nicht!
her zaman	immer
mutfak, -ağı	Küche
çocuk odası	Kinderzimmer
banyo	Bad
modern	modern
oturma odası	Wohnzimmer
aydınlık, -ığı	hell, Helligkeit
yatak odası	Schlafzimmer
gürültüsüz	ruhig
gürültü	Lärm
yoksa	oder (aber)
kalorifer	Zentralheizung
soba	Ofen
dar	eng
karanlık, -ığı	dunkel, Dunkelheit
gürültülü	laut

3

taşınmak (-den)	weg-, ausziehen aus
… niyetindeyiz.	wir beabsichtigen, zu …
niyet	Absicht
dört kişilik aile	eine vierköpfige Familie
kira	Miete
ne kadar?	wie viel?
ödemek	zahlen, bezahlen
yakıt parası	Heizkosten
yakıt	Heizmaterial
dahil	inklusive
yakıt masrafı	Heizkosten
masraf	Kosten
hariç, -ci	exklusive
bu kadar	so viel

7

kiralık	zu vermieten
satılık	zu verkaufen
ilan	Anzeige
emlak, -ağı	Immobilien(-makler)
asansör	Aufzug
m^2 (metrekare)	Quadratmeter
yazlık, -ığı	Sommerwohnung
salon	Wohnzimmer
tripleks	dreistöckige Villa
alafranga tuvalet	Sitztoilette
çift	Doppel-
aylık kira	monatliche Miete
yazlık – kışlık konut	eine im Sommer und Winter benutzbare Wohnung
konut	*Oberbegriff für Haus, Wohnung usw.*
denize sıfır	direkt am Meer
teras	Terasse
sahip, -bi	Eigentümer(in), Besitzer(in)
manzara	Aussicht
lüks	Luxus
acele	eilig, sofort
veya	oder (auch)
fiyat	Preis

8

tutmak (-i)	mieten

10

Hayrola?	Nanu?
eşyaları toplamak	einpacken
eşya	Sachen, Gepäck
toplamak (-i)	einsammeln, aufräumen
Yok canım!	Ach was?!
beri (-den)	seit
altı aydır	sechs Monate lang
nihayet	endlich
kiralamak (-i)	mieten
sevinmek (-e)	sich freuen über
sebep, -bi	Grund
şu	dies; folgendes
yerleştirmek (-i)	aufstellen, plazieren
üstelik	darüber hinaus

12

ne zamandan beri?	seit wann?
köşe	Ecke

17

sokak, -ağı	Straße

LEKTION 20

1

koltuk takımı	Sofa, Sessel und Beistelltische
koltuk, -uğu	Sessel
sandalye	Stuhl
bulaşık makinesi	Geschirrspülmaschine
buzdolabı	Kühlschrank
elbise dolabı	Kleiderschrank
elbise	Kleidung, Kleid
dolap, -bı	Schrank
karyola	Bettgestell
sehpa	Beistelltisch
askılık, -ığı	Garderobenständer
ayna	Spiegel
yazı masası	Schreibtisch
lamba	Lampe
halı	Teppich
çamaşır makinesi	Waschmaschine
makine	Maschine
kitap rafı	Bücherregal
raf	Regal
elektrikli süpürge	Staubsauger
elektrik, -iği	Strom
süpürge	Besen
fırın	Backofen, Bäckerei
kap kacak, -ağı	Küchengeschirr

2

Gülşenciğim	meine liebe Gülşen
eş dost	Freunde und gute Bekannte
taşınma işi	Umzugsangelegenheit
söz etmek (-den)	sprechen von
söz	Wort
söz vermek (-e)	versprechen
yardım etmek (-e)	helfen
buna rağmen	trotzdem
izin, -zni	Urlaub
bir de	noch (dazu)

6

mobilyacı	Möbelhändler(in)
sipariş etmek (-i)	bestellen

8

hâlâ	immer noch

10

Bu sokak ne kadar sessizmiş!	Wie ruhig ist doch diese Straße!
ses	Laut; Geräusch; Stimme
zil çalmak	klingeln
katalog	Katalog
oysa	jedoch, indessen

pek	sehr
pratik, -iği	praktisch
zevkli döşemek	geschmackvoll einrichten
zevk	Geschmack
döşemek (-i)	einrichten
semt	Stadtviertel
yemyeşil	ganz mit Grün bedeckt, grasgrün
Güle güle oturun.	Wohnen Sie mit Freude.

13

resepsiyoncu	Empfangschef(in)
çek	Scheck
çift yataklı	Doppelbett-
tek kişilik	Einzel-
Kaç kişilik?	Für wie viele Personen?
uyandırmak (-i)	wecken

14

tek yataklı	Einzelbett-
iki kişilik	Doppel-
ücret	Gebühr; Mietpreis
tam pansiyon	Vollpension
yarım pansiyon	Halbpension
bagaj	Gepäck

Extra: Modul

1

hava durumu	Wetterlage
hava	Wetter
durum	Lage, Situation
güneşli	sonnig
güneş	Sonne
yağmurlu	regnerisch
yağmur	Regen
bulutlu	wolkig
bulut	Wolke
sisli	neblig
sis	Nebel
rüzgârlı	windig
rüzgâr	Wind
sıcak, -ağı	warm, heiß
soğuk, -uğu	kalt
karlı	verschneit
kar	Schnee
açık, -ığı	klar
kapalı	bedeckt

2

Güneş çıktı.	Die Sonne kam auf.
yağmur yağmak	regnen
kar yağmak	schneien
esmek	wehen

3

yılbaşı	Silvester, Neujahr

ALPHABETISCHES WÖRTERVERZEICHNIS

A

abla 8,15
acaba 8,6
acele 19,7
acele etmek 16,9
acente 9,1
acı 16,11
aç 12,5
açık, -ığı M,1
açmak 17,9
adam 8,6
adı 2,14
adres 4,4
Affedersin(iz). 1,12; 1,13
Afiyet olsun. 15,11
ağabey 8,15
ağustos 11,2
aile 8,15
akşam 7,9
akşamları 10,20
alafranga tuvalet 19,7
alfabe 1,15
alıcı 17,5
alışveriş 6,15
alışveriş yapmak 6,15
Allah 18,1
allahaısmarladık 18,2
almak 9,14
Alman 3,2
Almanca 2,16
Almanya 3,1
Alo! 12,2
alt 14,1
altı aydır 19,10
ama 6,2
amca 8,15
Amerika 9,7
Amerikalı 3,8
anahtar 4,11
anlamak 1,18
anne 2,8
anneanne 8,15
apartman 5,5
ara 14,1
ara sıra 18,8
araba 5,14
arada 14,3
arada sırada 7,17
aralık, -ığı 11,3
aramak (-i) 6,8
arka 14,1
arkadaş 2,8
arkeoloji 9,4
armut 17,1
artı 4,3
artık 13,2
arzu 15,8
asansör 19,7
asistan 9,7
askılık, -ığı 20,1
aşağı yukarı 14,9
atıştırmak 12,17
atletik, -iği 8,1
avukat 6,1
Avusturya 3,1
Avusturyalı 3,2
ay 11,3
ayakkabı 17,1
aydınlık, -ığı 19,2
ayıp 2,16
aylık kira 19,7
ayna 20,1
aynı 8,6
ayran 16,5
ayrı ayrı 16,9
ayrılmak (-den) 13,12

B

baba 2,8
babaanne 8,15
bagaj 20,14
baharat 16,11
bahçe 9,1
baklava 15,1
bakmak 14,9
bal 15,1
balık, -ığı 15,1
banka 5,8
bankacı 5,8
banyo 19,2
bar 7,1
barbunya pilakisi 16,3
bardak, -ağı 16,3
başarı 18,16
başka 13,2
başlamak (-e) 10,7
batı 14,13
bavul 17,18
bayılmak (-e) 15,11
bayram 18,16
bazen 17,9
beğenmek (-i) 15,11
bekâr 4,12
beklemek 7,5
belediye 18,16
belki 8,3
ben 1,2
benden büyük 8,15
beni 11,7
benim 1,4
benimki 16,9
beraber 16,9
beri (-den) 19,10
bey 1,6
beyaz 15,1
beyefendi 15,8
bıçak, -ağı 16,4
bıyık, -ığı 8,8
bıyıklı 8,8
biber 17,1
biftek, -eği 15,1
bilet 2,15
bilgi vermek 17,9
bilgisayar 2,15
bilmek 1,12
binmek (-e) 10,7
bir 1,10
Bir dakika. 1,10
bir sürü 17,9
Bir şey değil. 1,18
bir şeyler 12,17
bira 11,12
birahane 11,11
biraz 2,12
biraz önce 12,5
biri 8,7
birkaç 9,7
bisiklet 2,15
boş 7,3
boy 8,8
boyunca 10,20
bölü 4,3
böyle 10,4
bu 2,15
bu akşam 11,8
bu kadar 19,3
bu sabah 11,8
buçuk 10,1
bugün 11,8
bulaşık makinesi 20,1
bulaşık yıkamak 6,15
bulgur pilavı 15,1
bulmak 16,9
bulunmak 19,1
buluşmak (ile) 15,5
bulut M,1
bulutlu M,1
bulvar 4,8
buna rağmen 20,2
burada 14,5
burası 4,12
„buyur" demek (-e) 16,14
Buyurun. 1,10
buzdolabı 20,1
büro 9,4
bütün 10,20
büyük, -üğü 8,15
büyümek 18,1

C

cacık, -ığı 16,3
cadde 4,4
cami 14,2
candan 7,9
CD 18,2
ceket 2,15
cevap, -bı 8,4
cuma 10,18
cumartesi 10,18
cüzdan 17,1

Ç

çabuk 13,2
çakmak, -ağı 18,9
çalar saat 12,17
çalmak 12,17; 18,8
çalışma odası 19,2
çalışmak 5,9
çamaşır 6,15
çamaşır makinesi 20,1
çamaşır tozu 17,1
çamaşır yıkamak 6,15
çanta 4,11
çarpı 4,3
çarşamba 10,18
çarşı 14,11

reçel 15,1
resepsiyoncu 20,13
resim 4,11
rica etmek (-i) 15,8
romantik, -iği 8,1
röportaj 13,2
Rus 3,2
Rusya 3,1
rüzgâr M,1
rüzgârlı M,1

S

saat 2,17; 6,8
Saat kaç? 10,2
Saat kaçta? 10,3
sabah 11,8
sabun 17,1
saç 8,8
sade 16,9
sağ 14,3
Sağ ol(un). 2,7; 2,9
sağlık, -ığı 15,11
sağlıklı 16,9
sağlıksız 16,11
sahi 18,6
sahip, -bi 19,7
sakal 8,8
salam 15,1
salata 15,1
salatalık, -ığı 17,1
salon 11,11; 19,7
salı 10,18
sana 12,2
sandalye 20,1
sandviç 2,15
sanmak 8,3
sapmak (-e) 14,9
sarımsak, -ağı / sarmısak, -ağı 16,11
sarışın 8,8
16,11
satıcı 17,5
satılık 19,7
satın almak 13,12
saz 18,9
sebep, -bi 19,10
sebze 16,2
seçmek (-i) 16,3
sehpa 20,1
sekreter 6,15
selam 7,9
selam söylemek 12,2
sempatik, -iği 8,1
semt 20,10
sen 2,5
seni 11,7
sepet 14,1
sergi 12,2
ses 20,10
seve seve 18,11
severek 7,13
sevgili 7,9
sevimli 8,9
sevimsiz 8,2
sevinmek (-e) 19,10
sevmek (-i) 13,17
seyahat 9,1
seyahat acentesi 9,1
sıcak, -ağı M,1
sis M,1
sigara 18,8
sigara böreği 16,3
sigara içmek 18,8
sinema 7,1
sipariş 17,9
sipariş etmek (-i) 20,6
sirk 12,6
site 19,1
siz 2,3
sizin 1,6
soba 19,2
soğan 17,1
soğuk, -uğu M,1
sokak, -ağı 19,17
sol 14,3
son 6,4
sonbahar 13,15
sonra (-den) 11,2; 11,8
sormak (-e) 7,9
soyadı 2,14
sörf yapmak 11,1
söylemek 1,18
söz 20,2
söz etmek (-den) 20,2
söz vermek (-i, -e) 20,2
su 4,11
sucuk, -uğu 15,1
sulamak (-i) 6,15
süpermarket 11,11
süpürge 20,1
sürmek 11,1; 12,17
sütlaç 15,1

Ş

şahane 15,11
şampanya 18,2
şarap, -bı 15,1
şeftali
şehir 7,9
şehir turu yapmak 11,1
şeker 15,8
şeker bayramı 18,16
şeref 15,11
Şerefe! 15,11
şey 1,18; 6,8
şimdi 3,10
şiş kebap, -bı 16,5
şişe 4,11
şişman 8,8
şoför 6,1
şort 2,15
şöyle böyle 2,1
şu 19,10
şubat 11,3

T

tabak, -ağı 16,4
Tabii! 7,5
tahta 17,20
takmak 18,8
taksi 2,15
tam 20,14
Tamam. 15,5
tane 17,2
tanımak (-i) 16,11
Tanıştırayım. 1,10
taraf 14,11
tarih 18,16
taşınma işi 20,2
taşınmak (-den) 19,3
taşınmak (-e) 18,6
tatil 11,2
tatil yapmak 11,2
tatile çıkmak 11,2
tatlı 15,9
tavla 18,8
tavuk, -uğu 15,1
taze 16,9
tebrik, -iği 18,16
tek 19,1
tek katlı 19,1
tek kişilik 20,13
tek yataklı 20,14
telefon 2,17
telefon etmek 6,15
telefon kulübesi 9,14
televizyon 2,15
televizyon izlemek 7,1
temizlemek (-i) 17,9
temizlik, -iği 7,16
temizlik yapmak 7,16
temmuz 11,3
tenis oynamak 6,4
tenisçi 6,4
teras 19,7
tercih etmek (-i) 16,11
tereyağı 15,1
tesadüf 6,8
test 8,2
Teşekkür ederim. 1,18
teyze 8,15
tıraş olmak 10,4
tip 8,16
tişört 2,15
tiyatro 7,5
top 18,9
toplamak (-i) 19,10
tören 18,16
tramvay 2,17
tren 10,15
tripleks 19,7
tulum peyniri 17,5
tur 11,1
turist 14,9
turizm 9,4
turizm bürosu 9,11
tutmak (-i) 16,14; 19,8
tuvalet 14,2
tükenmezkalem 17,20
Türk 3,2
Türkçe 2,17
Türkiye 3,1

U

ucuz 17,19
uçak 2,15

QUELLENVERZEICHNIS

Seite: 29, 34 (3), 36 (1, 2), 127 (3, 4), 129, 134 (1, 2): MHV-Archiv (© Jens Funke)

Seite: 36 (3), 41, 127 (2), 133, 134 (3) 151: MHV-Archiv (© Dieter Reichler)

Seite: 11 (2), 23, 34 (5), 62 (7), 97 (2), 100 (4x): Werner Bönzli, Reichertshausen

Seite: 97 (3): Stephen Fox, München

Seite: 97 (1, 6): Erna Friedrich, Ismaning

Seite: 97 (5): Dieter Rauschmayer, Vaterstetten

Seite: 40 (1, 2, 3), 62 (9), 83 (7), 99 (7x), 110, 116: Hayrettin Seyhan, Berlin

Seite: 24 (2), 49, 105 (1): Informationsabteilung des Türkischen Generalkonsulats, München

Seite: 24 (1), 97 (4): Wien Tourismus

Alle anderen Fotos: Gülay Yilmaz, München
(*Seite*: 9, 10, 11, 15, 17, 22, 30, 33, 34, 35, 39, 40, 48, 55, 57, 62, 63, 65, 66, 74, 79, 83, 87, 104, 111, 112, 113, 117, 120, 125, 126, 127, 140, 142, 144, 149, 152)